COLLECTION FOLIO

Marie Nimier

Je suis un homme

Gallimard

Marie Nimier est née par un mois d'août torride à l'hôpital Saint-Antoine, Paris XIIᵉ. Elle commence à quinze ans une carrière chaotique de comédienne et de chanteuse, participe aux créations théâtrales et musicales du « Palais des Merveilles », de « Pandemonium and the Dragonfly » (aux États-Unis) et des « Inconsolables ».

Elle a déjà publié douze romans, traduits pour certains en Chine, aux États-Unis, en Allemagne, en Italie, au Japon, en Égypte, au Vietnam ou en Roumanie, dont *Sirène* en 1985 (couronné par l'Académie française et la Société des Gens de Lettres), *La girafe* en 1987, *Anatomie d'un chœur* en 1990, *L'hypnotisme à la portée de tous* en 1992, *La caresse* en 1994, *Celui qui court derrière l'oiseau* en 1996, *Domino* en 1998, *La nouvelle pornographie* en 2000, des textes pour le théâtre (*La confusion, Adoptez un écrivain, Noël revient tous les ans*), des nouvelles, des livres pour enfants et des chansons pour Jean Guidoni, Juliette Gréco, Art Mengo, Clarika, Enzo Enzo, Eddy Mitchell...

Dans *La Reine du silence*, récompensé par le prix Médicis, Marie Nimier ose s'attacher à la figure de son père, Roger Nimier, écrivain et chef de file des « hussards ». La plupart des textes réunis sous le titre *Vous dansez ?* sont à l'origine du spectacle de la compagnie Beau Geste *À quoi tu penses ?*, chorégraphié par Dominique Boivin. Elle a également publié *Les inséparables* (2008), prix Georges Brassens, *Photo-Photo* (2010), *Je suis un homme* (2013), travaille régulièrement avec la metteuse en scène Karelle Prugnaud, et s'est engagée depuis une dizaine d'années dans de nombreuses créations théâtrales, écrivant non seulement pour des danseurs, mais aussi des musiciens, une funambule, des cinéastes et autres inventeurs de formes hybrides.

La tête d'un homme sur le corps d'un cheval nous plaît ; la tête d'un cheval sur le corps d'un homme nous déplaira. C'est au goût à créer des monstres. Je me précipiterai peut-être entre les bras d'une sirène ; mais si la partie qui est femme était poisson, et celle qui est poisson était femme, je détournerais mes regards.

DIDEROT
Pensées détachées sur la peinture

Batterie d'accords fracassants. Quand l'amour vous prend. La guerre ! La guerre ! Le tympan.

JAMES JOYCE
Ulysse

I

L'enfance n'existe pas. Elle n'est que coquille vide, pure invention de l'esprit, mais il faut bien commencer quelque part, non ? Saisir le monde par un coin et tirer, tirer, jusqu'à le faire passer tout entier dans l'anneau magique.

Au début, nous sommes deux, mon frère et moi. Nous portons le même patronyme, et c'est bien la seule chose que nous partageons. Leriche, en un seul mot – comme j'ai pu le détester, ce nom qui disait le contraire de ce que nous étions. Aujourd'hui, je m'y suis habitué. Leriche, Lesage, Leblanc, quelle importance.

Mon frère était petit, en taille aussi, petit, et terriblement jaloux. Dès qu'il fut en âge de sortir avec des filles, il les utilisa pour marquer sa supériorité. Pauvre garçon. Il aurait suffi que je m'approche de lui pour l'écraser d'une pichenette. Mais je ne m'approchais pas, je le gardais à distance. J'avais d'autres préoccupations, et si les filles qu'il draguait s'entichaient de moi, que pouvais-je y faire ? J'étais beau, tout le monde s'accordait à le dire, de cette beauté rugueuse que je tiens de mon père.

Ma mère était couturière à domicile. Parfois, l'été, quand tout le monde était en vacances, elle s'occupait de personnes âgées.

– Pour dépanner, soulignait-elle d'une voix qui se voulait rassurante.

Je n'ai jamais bien compris si c'était elle qui était dépannée ou les autres qu'elle dépannait. Mon père, à cette époque, travaillait au rayon boucherie du supermarché Major de la ville d'à côté – et mon frère d'ajouter de sa voix de crécelle, dès qu'il entendait le nom de l'enseigne : Major, les clients d'abord !

Ta gueule, moustique, c'est moi qui raconte.

Le petit frère se tait ; il se tapit, prêt à resurgir à la moindre défaillance. Mais il n'y aura pas de défaillance : nous avons la viande gratis, des biftecks en barquette que nous devons manger sans attendre.

– Tiens, dit ma mère, si on les faisait griller ?

Elle me laisse préparer le barbecue dans la cour. Une épaisse fumée s'élève, virgules des rideaux trois étages au-dessus, des silhouettes apparaissent aux fenêtres. On s'inquiète pour sa voiture. Nous sommes le seul pavillon perdu dans un ensemble d'immeubles modernes, et moi j'aurais préféré habiter dans un appartement sans cour ni jardin, plutôt que de vivre sous le regard des voisins. Mon père a de plus hautes ambitions : il veut quitter le supermarché pour se mettre à son compte, et lorsqu'il se met enfin à son compte (j'abrège, j'abrège), je viens d'avoir quinze ans, j'annonce clairement que je ne travaillerai jamais avec lui.

Ni l'été, ni le dimanche, ni le petit coup de main à la caisse.

*

Mon père a longuement cogité, établi des listes et des listes de listes, avant de baptiser sa boucherie À la Bonne Chair, contre mon avis, je tiens à le signaler. Je trouvais l'enseigne ridicule, et malsaines les décorations sur la vitrine. On y voyait en frise une cane et ses canetons, une dinde, des poulets hallucinés, peints dans ces couleurs criardes des fresques de Noël. Au centre, un mouton posait sur les genoux d'une grosse vache. De l'autre côté de la vitre s'étalaient leurs répliques sanglantes taillées en morceaux. Je ne suis pas sûr que maman appréciait le style des peintures, mais elle les trouvait originales, et gaies, ah oui, très gaies pour un établissement où, somme toute, on vendait de la mort.

L'inauguration eut lieu un samedi en fin d'après-midi. Quelques voisins s'étaient mobilisés, la famille, les amis de mes parents. On s'était habillés pour l'événement, certains même avaient apporté des fleurs. Trois lys épanouis, plantés dans la trancheuse à jambon, exhalaient leur parfum anachronique. Un grand bouquet aux allures de rond-point trônait près des chips. Nous étions tous là, réunis autour d'un rêve, le

13

rêve accompli du père, attendant la fin des discours pour attaquer le splendide buffet de charcuterie, vous m'en direz des nouvelles. C'était à mon tour de parler, au tour d'Alexis (je m'appelle Alexis, Alexis Leriche), et Alex avait lâché ces mots à la surprise générale, il avait déclaré qu'il ne travaillerait pas à la boucherie, que l'idée même le dégoûtait.

Ma déclaration jeta un froid. J'ajoutai pour le plaisir un peu sadique, je l'avoue, de voir les visages s'allonger que je détestais les animaux, tous les animaux, même les empaillés. Ce n'était pas vrai, bien sûr, j'aime les serpents et les insectes en général, les petites choses qui grouillent, qui grimpent, qui se débrouillent, j'aime aussi les oiseaux quand ils ne chantent pas trop fort et les poissons de la rivière, les chevreuils, les tortues, la plupart des bestioles, au fond, je les aime, parce qu'elles sont ce qu'elles sont, sans forfanterie, le contraire de mon frère, mais à force d'en ingurgiter la viande avait fini par m'écœurer. Pas seulement la viande rouge, toutes les viandes, et cette odeur aussi que mon père rapportait chaque soir à la maison. Je me demandais si je ne l'avais pas incrustée dans le nez, ou quelque part dans un coin du cerveau, ficelée comme un rôti à l'image paternelle, car, même pendant les grandes vacances au bord de la mer, je la sentais.

Quand j'eus fini de parler, mon père m'enveloppa de cet air mélancolique qu'il prenait pour plier les saucisses.

– Parce que tu crois, commença-t-il de sa voix

suave, assez fort pour qu'on l'entende, mais doucement tout de même, avec cette violence contenue dont il était le roi, tu crois que je l'aime, moi, cette odeur de bidoche et d'eau de Javel ? Ces mains gonflées, tu crois qu'elles me plaisent ? Et ce calot ridicule qu'on m'a obligé à porter pendant vingt-deux ans, ce calot blanc avec son foutu liseré bleu, tu crois que je l'aimais ? Ici, à la Bonne Chair, personne ne m'obligera à rien, tu m'entends, fils ? Personne.

Le mot résonna dans la boucherie. Personne ! et tout le monde en eut la chair de poule.

– Tu vois, poursuivit-il en se caressant le crâne, je me suis rasé de près. La barbe et les cheveux. Question hygiène, rien à redire.

Il jeta un coup d'œil autour de lui pour vérifier que l'assemblée avait bien capté le message.

– Tu le trouves beau, ton père, avec la boule à zéro, hein, réponds-moi, Alex, tu le trouves comment ?

Il penche le front, sa main qui va, qui vient, il veut que je touche, touche, répète-t-il en boucle, touche, touche, mais touche, bon sang ! Tu vas toucher, oui ?

La peau est grasse, très tendue, on devine les os. Il y a une excroissance, une espèce de verrue sur le côté que je remarque pour la première fois. Je reste immobile, troublé par ce bout de chair jusqu'ici caché par ses cheveux – envie de l'arracher comme on arrache une tique, ou non, pas de l'arracher sinon la tête suceuse resterait plantée à l'intérieur, de l'enlever en tournant avec précaution. Le parasite émet un couinement quand il lâche prise, je suis le seul à l'entendre, ses petites pattes s'agitent dans l'air à la recherche d'un appui, j'aurais presque pitié de lui, mais non, vite, le brûler, l'écraser, mieux encore, le balancer dans le trou de l'évier. L'eau à fond, la froide, Alex, ce n'est pas toi qui paies la facture, le point noir tourbillonne avant de disparaître dans les tuyaux.

Touche, répète mon père, touche ! et je ne touche toujours pas. Je croise les bras, je me marre carrément, je sens ma bouche qui part vers la gauche (mon fameux rictus, c'est comme ça que maman l'appelle sans méchanceté, ton ric-tus). Les invités se figent, personne n'y comprend rien. Mon frère mâchouille un bout de saucisson qu'il a fauché en douce sur le buffet pendant que nous parlions. Mon père fait volte-face, ce n'est pas le moment de se mettre en colère, pas le moment de me traiter de petit con, le mot lui chatouille les lèvres pourtant, mais non, il ne me fera pas ce plaisir. Il prend sur lui, il s'agit bien de ça, prendre sur soi, et se met à rire à son tour en jetant son buste en arrière, de grands mouvements désordonnés dignes d'un spectacle de Guignol.

– Celui-là, s'esclaffe-t-il en me désignant du doigt, s'il n'existait pas il faudrait l'inventer !

Ma mère soulagée que tout se termine aussi bien débouche la première bouteille de mousseux. Je crois qu'elle est fière de moi, de ma résistance.

Le bruit du bouchon qui saute, les convives applaudissent, ma tante se met à crier : Vive la Bonne Chair, vive la Bonne Chair ! et je n'ai qu'une envie : lui faire bouffer son foulard. Je me souviens bien de cette impression, la soie entrant dans sa gorge pour étouffer les vibrations, bloquer l'air et, en éteignant sa voix, éteindre ma douleur. Je n'ai jamais supporté les sons stridents. Ils me font mal, physiquement mal.

Mon père tend son verre, le liquide déborde, du blanc sur sa veste sombre, de petites bulles qui claquent, qu'importe : il est heureux. Je n'existe plus pour lui, tout le reste de la soirée je serai invisible. Il boit trop, raconte des blagues stupides, pose des devinettes.

– Avec quoi prend-on les femmes ? Vous donnez votre langue au chat ? Écoutez bien, les jeunes, ça peut servir : les femmes se prennent comme les lapins, par les oreilles…

– Ce n'est pas de lui, précise ma mère, c'est de Victor Hugo.

On s'étonne. Victor Hugo, vraiment ?

– Et celle du meurtrier, reprend mon père, vous la connaissez, celle du meurtrier ? On s'accroche. Quelle est la différence entre un meurtrier et un homme qui vient de faire l'amour ? Aucune. Ah ! Ah ! Je vous ai bien eu. Aucune, et pourquoi aucune (n'écoute pas, chérie) ? Ils ne savent ni l'un ni l'autre comment se débarrasser du corps !

Ça boit, ça s'esclaffe, c'est bon enfant, et ça dure pendant deux ans, mais c'est moins drôle pour mon père. Deux années de levers à l'aube et de difficultés financières. Deux années, avant que les décorations de la vitrine ne s'évanouissent à leur tour sous une épaisse couche de blanc d'Espagne. La boucherie va fermer. Elle ferme, on bazarde les derniers pâtés. Elle est fermée.

*

Mon père part un lundi du mois de novembre, abandonnant la nouvelle chambre froide et les dettes et ces cartons de chips à l'ancienne qu'il faudra manger avant la date de péremption, comme pour les biftecks au temps du supermarché, à en avoir les commissures des lèvres brûlées par le sel. Rien dans son attitude ne laisse présager son départ. Il y a bien eu, ces derniers mois, quelques éclats de voix, des bouderies, de la fatigue, des absences, mais pas tellement plus que d'habitude. En guise d'explication, maman déclare que *ça* ne pouvait plus durer *comme ça*.

Comme ça, ça, mais *ça* quoi ? Mystère.

Car mon père quitte la boucherie, me suis-je bien fait comprendre ? Mais aussi ma mère, et la maison.

Il faudrait poser des questions. Ni mon frère ni moi n'en avons le courage. Le nez dans nos assiettes, nous attendons que *ça* passe. Une page se tourne sans que nous ayons notre mot à dire. L'appartement devient très calme. Les vêtements de mon père s'attardent encore quelques mois dans le placard familial, gage d'un retour éventuel, puis un beau jour sans prévenir disparaissent à leur tour. Ne reste plus aucune trace des affaires paternelles dans le pavillon, pas la moindre ceinture, pas le moindre tournevis, rien. La boîte à cirage, la brosse, les chiffons même se sont volatilisés, et le tire-botte que mon père utilisait quand il revenait de la chasse, comme si nous, ses fils, n'avions pas de chaussures, ou pas de pieds peut-être, qui sait. En y repensant, ça me donne des frissons.

*

Maman ne voulait pas divorcer, mais il fallut qu'elle s'y résigne. Nous apprendrions à cette occasion que notre père avait repris du calot dans une ville plus à l'est, et fondé, selon les termes du juge, un nouveau foyer. J'avais une demi-sœur qui s'appelait Léonie. Elle était née peu après l'ouverture de la Bonne Chair, c'est dire que, le jour de l'inauguration, cette femme avec qui mon père allait refaire sa vie était déjà enceinte de sept ou huit mois. Tout prenait un sens nouveau : la main de mon père sur la peau tendue de son crâne, son obstination à le caresser et mon obstination à ne pas le toucher, la verrue parasite comme un fœtus accroché près de l'oreille… Je passai mentalement en revue les femmes présentes dans la boucherie. Des grosses, des jolies, des fatiguées, mais enceinte, non, je ne crois pas. Et puis qu'elle soit venue, pas venue, belle ou difforme, qu'importe ? Je ne voulais pas la connaître ni connaître sa fille, Léonie, quel prénom grotesque, c'était mieux ainsi. Quant à mon père, il avait fait son choix, point final.

Mon frère supporta moins bien que moi la séparation. Il décida de partir à son tour, grand bien lui fasse, je n'allais pas le retenir. On l'inscrivit en pension dans le Val-de-Marne, près de chez sa marraine. Je me retrouvai seul avec ma mère. J'avais dix-huit ans, l'âge de voter et d'aller en prison – c'est ce que m'écrirait mon père dans une lettre où il me souhaitait mon anniversaire. Un chèque plié en deux complétait la missive.

Il désirait me voir en tête à tête. S'expliquer. Ou plutôt non : m'expliquer, et reprendre des relations normales avec son fils.

Normales ? Ah oui ? Je ne lui répondis pas, n'encaissai pas le chèque, je savais qu'il allait en souffrir et cela me plaisait de l'imaginer le matin ouvrant sa boîte aux lettres et ne trouvant rien de moi. Je n'en éprouvais aucune culpabilité, au contraire : j'en tirais de la joie.

Contre toute attente, j'allais bien mieux qu'avant. Au lycée, je redoublai ma terminale sans que cela ne m'affecte outre mesure. Mes professeurs s'accordaient à penser que, si j'avais voulu travailler, j'aurais eu de bons, et même de très bons résultats, mais je ne voulais pas travailler, c'est ce qu'ils prétendaient – je crois que c'était un peu plus compliqué. Quand ils pri-

rent connaissance de ma « situation familiale »,
ils abandonnèrent toute velléité de me voir pro-
gresser. J'étais en souffrance, comme ils disaient,
et ça leur suffisait. J'avais compris que l'important était de ne pas déranger les cours. Je ne
dérangeais pas. Après le départ de mon père, je
devins un élève transparent.

*

Le fait de ne pas supporter certains sons,
comme la voix de ma tante pendant l'inauguration de la boucherie, n'était pas une simple
coquetterie. Déjà petit garçon, pendant les récréations, j'avais du mal avec les cris des autres, alors
je m'asseyais contre un arbre et me balançais en
enfonçant mes index dans les oreilles. Parfois
ma tête venait cogner le tronc. J'avais envie de
pleurer, moi qui ne pleurais jamais à l'époque,
moi qui étais dur à la douleur, comme disait
maman fièrement, un vrai petit cosaque. Le
médecin scolaire fut le premier à diagnostiquer
mon problème. Je me revois debout devant lui,
mon carnet de santé à la main. Il n'a pas l'air
commode, même quand il sourit. J'aime bien sa
façon de nous toucher, sans précaution. Il palpe,
ausculte, interroge. On dirait que je l'intéresse.
Il reste longtemps avec moi, j'entends les autres
s'impatienter derrière la porte. Je peux l'avouer
aujourd'hui, si je souffre de quelque chose,
c'est d'un besoin insatiable de reconnaissance
malgré tout, et cet homme, ce médecin aux allures

d'amiral, me reconnaît *malgré tout*. Nous nous reconnaissons. Nous sommes de la même trempe. D'après lui, si je ne supportais pas la cour de récréation, c'était à cause de mes oreilles.

Les résultats du test d'audition étaient incontestables : j'entendais trop bien. Même le silence, je l'entendais, et soudain tout s'expliquait. Si je fuyais les rassemblements, les anniversaires, les centres commerciaux ; si je n'aimais ni les manèges ni le cinéma ; si je trouvais toujours un prétexte pour rester à la maison et m'enfermais dans ma chambre lorsque mes parents invitaient des amis, ce n'était pas la marque d'un tempérament solitaire, ni la manifestation de mon sale caractère (« toi et ton sale caractère »), mais la conséquence de mes capacités auditives exceptionnelles.

Certains bruits très faibles m'agaçaient les tympans plus encore que les bruits violents. Quand une cigarette se consume, on pourrait penser qu'elle grésille, mais non, elle ne grésille pas. Elle gémit. Depuis tout petit, j'entends la résistance du tabac. Les fourmis aussi je les entends, on dirait de la pluie sur un toit d'ardoises et il m'est arrivé de repérer des cafards dans un restaurant, à l'oreille. Les blattes sifflent, c'est net. Parfois, j'ai même l'impression de percevoir les vibrations de mon squelette, j'avais raconté ça au médecin scolaire avec mon vocabulaire d'alors, je ne sais pas si j'avais utilisé les mots « vibration » ou « squelette », mais je me souviens lui avoir parlé de ce bourdonnement aigu qui se déclenchait le soir.

– Un bourdonnement... aigu ?

Eh bien oui, aigu, comme si j'avais une petite mouche coincée dans l'oreille. Le médecin m'avait pris la main et l'avait serrée plusieurs fois.

– Alexis, écoute-moi bien.

– Oui...

– Ces choses que tu entends n'existent que pour toi. On appelle ça des acouphènes. Ils disparaîtront lorsque tu auras réglé tes problèmes d'audition.

Je n'avais pas osé lui poser de questions. Que ces bruits parasites disparaissent, comme la tique dans les canalisations, voilà qui était rassurant. Mais où iraient-ils ensuite, dans quel égout, quelle décharge collective ?

Le médecin n'avait pas l'air trop inquiet. Il rédigea une lettre pour mes parents, puis une autre pour un spécialiste. Il fallait, m'expliqua-t-il, que j'aille consulter un ornithologue. Je ne devais surtout pas perdre courage, à chaque problème, on trouve une solution. Sur ces bonnes paroles, il passa à l'élève suivant.

Je gardai longtemps les lettres du médecin scolaire dans le rabat de mon agenda, puis, comme personne ne les avait découvertes, en fis une boule bien compacte que je jetai à la poubelle. Consulter un ornithologue, passe encore, mais essuyer les remarques de mon père sur les aberrations de la médecine, je préférais éviter. Ce que les oiseaux avaient à faire là-dedans ? Je ne le comprendrais que bien plus tard.

Le local de la boucherie trouva enfin preneur. Après quelques semaines de travaux, un institut de beauté s'y installa, et les mêmes clientes qui achetaient gigots et foie de génisse venaient maintenant se faire épiler à la cire ou s'allonger en sandwich entre les barres bleutées des cabines à rayons ultraviolets. L'esthéticienne se tenait assise juste en face de la porte d'entrée, à la place des poulets. Chaque fois que je passais, je la voyais sourire. Quand elle n'était pas là, je l'imaginais penchée sur les poils de ses clientes, cuisses écartées, ça me donnait la trique. C'est à peu près à la même période, me semble-t-il, que ma mère tomba malade. Elle qui se vantait de ne jamais mettre les pieds chez le médecin, soupiraient ses amies. Après l'annonce du diagnostic, comme pour conjurer le mal, elle entreprit des travaux dans la maison. Le fameux placard vidé des affaires paternelles fut démonté et, après avoir séjourné une nuit sur le trottoir, enlevé par les services municipaux.

– Rien à récupérer, disait maman, on a besoin de neuf ici, hein mon Alex ? Du neuf ! Rien que du neuf !

Où trouva-t-elle l'argent pour les travaux ? J'apprendrais à sa mort qu'elle avait des économies à la Poste, et que si nous vivions chichement, paradoxalement, c'était pour ne pas manquer. Dans le coin, à la place du placard, trônait à présent une belle bibliothèque en bois exotique. Ma mère achetait souvent des romans dans les foires à tout, elle ne savait jamais où les ranger.

– Eh bien maintenant, je saurai. Aide-moi donc à classer les livres…

Je l'aidais tant que je pouvais, mais parfois je ne pouvais pas, c'était au-dessus de mes forces. Je disparaissais quelques heures. J'allais marcher dans la forêt. Me parler tranquillement à l'intérieur. Je parcourais toujours les mêmes chemins, de la route nationale au rond-point cavalier, puis du rond-point au lac avant de bifurquer vers la station-service. Ma mère inventa que, plus tard, je serais garde forestier. Garder, regarder, me porter garant, oui, au fond, ça me convenait. Pour Noël, elle m'offrit une espèce de dictaphone muni d'un casque et d'un micro destiné à enregistrer les bruits de la nature. Au début, je ne voyais pas ce que ça pourrait m'apporter de recueillir ce que j'entendais déjà trop bien, c'est-à-dire d'ajouter du bruit au bruit, de les doubler en somme alors que le monde croulait déjà sous les décibels, mais à l'usage le dictaphone se révéla un outil précieux. Grâce à lui et au casque posé sur mes oreilles, je pouvais enfin entendre les sons au niveau qui me convenait. Si une discussion était trop forte pour moi, il suffisait que je tourne un bouton pour la ramener à une hauteur raisonnable. J'aimais aussi enregistrer nos conversations pendant les repas et les réécouter en cachette. J'avais l'impression de les domestiquer. Il suffisait de gommer le sens apparent des mots pour accéder à un univers qui nous dépassait tous. La façon qu'avaient les voyelles de rebondir sur les consonnes, le rythme des phrases, leurs modulations, voilà qui constituait une musique exaltante. Je me mis à collectionner les sons. C'était mon nouveau territoire, ma niche, mon obsession. Partout, j'enregistrais. Dans la forêt, dans le bus, au centre commercial. Je captais des ambiances, isolais des petits bouts de phrases, et les gardais précieusement dans l'idée, un jour, de les remonter selon un ordre qui n'appartiendrait qu'à moi. Contrôler le monde, telle était mon ambition.

*

Commencer par le début n'est pas chose facile, il y a tout qui déboule en vrac, les pères et les frères et les mères et les marraines, les dindes gaillardes et les têtes de cochon. Sans oublier les mots qui repassent en boucle, comme s'ils avaient peur d'être oubliés. Parmi les phrases qui me tourmentent, il y a celle-ci encore, prononcée pendant l'inauguration de la boucherie par ma mère : « Il faut le comprendre, on n'est pas assez bien pour lui. » Elle parle à Françoise, sa meilleure amie. On n'est pas assez bien, et ce sont les larmes qui montent aux yeux. Les yeux de ma mère, pas ceux de la meilleure amie qui m'a toujours trouvé d'une arrogance crasse. Même bébé, d'après elle, j'avais une façon méprisante de regarder les autres au jardin public. Je ne me souviens plus de cette période, évidemment, mais il est bien possible que tout petit, déjà, je n'aimais pas les enfants.

En vérité, je ne me rappelle plus exactement non plus la formule de maman, peut-être était-ce plutôt : On dirait qu'il a honte de nous. Ou encore : Nous ne sommes pas à la hauteur… Ce dont je suis sûr, c'est qu'il s'agissait d'une constatation et non d'un reproche. Le plus douloureux, c'est qu'elle avait raison, j'avais honte de mes parents. Honte de venir d'une famille qui trouvait que la toile cirée, un coup d'éponge et hop ! Honte des romans à l'eau de rose de ma mère et honte plus encore quand mon père les appelait *tes conneries*, range un peu tes conneries, tu les laisses traîner partout. Et c'était vrai. Sur la table de la cuisine, dans la salle de bains, aux toilettes, et sur la porte des toilettes, en guise d'incitation à la lecture, était punaisée une vieille affiche du parti communiste représentant le tableau de Vermeer *La Jeune Fille à la perle*. La légende souhaitait Bonne année, très simplement, sans revendication particulière. Tout tenait dans le regard de la jeune fille.

J'aimais bien cette image, et j'aimais bien les livres. À la bibliothèque, je m'étais inscrit avec la carte d'identité d'un copain. J'avais l'impression que, si je donnais mon vrai nom, on allait se moquer de moi. Tiens, il lit, le fils du boucher ? Le fils Leriche ? Alexis Leriche ? On aurait regardé les titres que je consultais, on s'en serait réjoui, un grand élan démocratique. Vous savez ce qu'il a emprunté, aujourd'hui, le petit Bifteck ? Ray Bradbury, *Fahrenheit 451*. Voilà qui aurait fait briller les yeux des bibliothécaires.

Bradbury je lisais, et tous les autres qui me tombaient sous la main par ordre alphabétique, sans vraiment les choisir. Verne, Vian, Vittorini. Pour moi, les livres étaient à égalité. Je trouvais que ce n'était pas juste de prendre tel ou tel ouvrage en particulier. Un peu comme pour les filles. Pourquoi celle-ci, plutôt que celle-là, elles sont jolies toutes les deux, non ? Et pourquoi moi plutôt qu'un autre ? Je pensais alors que les travaux d'approche amoureuse relevaient d'artifices dégradants. Qu'aurais-je gagné à séduire une fille qui ne venait pas instinctivement à ma rencontre ?

En grandissant, je changerais d'avis. Comme les autres, je céderais aux jeux de la séduction, je serais même assez doué, paraît-il. J'aurais à mon actif une collection de phrases empruntées à mon frère, et qui marcheraient bien. « Est-ce que tu crois au coup de foudre ou est-ce que je dois continuer à te baratiner ? » serait ma préférée. Je me suis toujours demandé si c'était le paon qui décidait de faire la roue, ou si la roue se déployait d'elle-même, malgré lui. Tiens, se dit-il, c'est quoi ce truc en plumes, là, derrière ?

Pour en revenir aux livres, s'ils figuraient dans les rayons de la bibliothèque municipale, étiquetés, répertoriés, c'est qu'ils étaient dignes d'intérêt. Et ils étaient dignes d'intérêt, ne serait-ce que pour une raison : ils me permettaient de rester de longues heures au chaud dans un lieu silencieux. À la bibliothèque, personne ne criait, seuls les portails électroniques de l'entrée résonnaient de temps à autre de façon assez désagréable, je dois le reconnaître, mais avec les bouchons d'oreilles, ça passait. Car je portais depuis quelque temps des bouchons en cire pour me protéger des bruits. Des bouchons qu'il fallait pétrir longuement avant de les mettre en place. Malaxer, disait le mode d'emploi, comme l'esthéticienne penchée sur le corps de ses clientes malaxait la cire dépilatoire. Elle me souriait quand je passais devant la boutique, elle souriait à tout le monde en vérité, et mon frère avait suggéré qu'elle faisait d'autres choses dans les cabines que de simples soins de la peau. Figurait bien dans la liste des prix affichée en vitrine un massage total – mais total, comment dire, total, total ? Je n'avais jamais vu un homme entrer dans la boutique. Peut-être l'esthéticienne offrait-elle ses services à des femmes. Je me demande comment elle s'y prenait pour les satisfaire. Je dois avouer que j'aurais beaucoup à apprendre de ce genre de professionnelle, même aujourd'hui – et à l'époque, n'en parlons pas. Je suis resté longtemps très ignorant de tout ce qui pouvait provoquer le plaisir féminin pour une raison dont je devrais avoir honte, mais enfin, au point où j'en suis, je peux dire les choses comme elles sont. Si je ne savais pas comment faire jouir les femmes, c'est que je n'avais pas vraiment envie qu'elles jouissent. Pas envie qu'elles s'accrochent. Ni surtout qu'elles se mettent à crier.

*

Quand maman fut hospitalisée, je quittai le lycée sans prévenir personne et, à ma connaissance, personne ne s'en alarma. Il y eut bien quelques courriers au nom de M. et Mme Leriche, ils s'empilèrent un temps sur le meuble de l'entrée avant de finir eux aussi à la poubelle. Je passais mes journées entre l'hôpital, l'autocar et la forêt. Des voisins de l'immeuble d'en face, voyant que je prenais si bien soin de ma mère, me proposèrent de garder leur petit garçon. Il avait trois ans, peut-être quatre. Je lui lisais des histoires, il en voulait toujours plus et je lui en donnais toujours plus. Quand j'arrivais chez lui, il se précipitait dans mes bras.

– Alex ! Alex !

J'aimais sa façon de prononcer mon prénom, comme s'il y avait un s après le x. Sa mère n'existait plus, son père n'en parlons pas, il n'avait d'yeux que pour moi. J'aimais sa gaieté, son intelligence et cet amour inconditionnel qu'il me délivrait sans compter. C'étaient des moments heureux. Ensuite, il fallait retourner à l'hôpital. Parfois, j'achetais une bouteille de vodka au supermarché, celui où mon père avait travaillé.

Il avait changé de nom et le rayon boucherie de place, mais les produits étaient restés les mêmes. Je buvais trop, je m'endormais comme une masse devant la télévision. Cela dura six mois encore, six mois où l'entourage admira ma patience et mon dévouement. Trop content de ne pas avoir à payer quelqu'un pour s'occuper de maman, on se garda bien de m'inciter à reprendre des études. On trouvait que j'étais très doué, soudain, pour les questions matérielles, pratiques, concrètes, toutes ces choses pour lesquelles hier on disait que j'avais, au mieux, des difficultés. Je constatai un glissement dans le vocabulaire. Si je restais silencieux en leur présence, je n'étais plus sauvage : j'étais réservé. C'était mieux accepté. Et si je m'énervais lorsque je n'arrivais pas à joindre les médecins, je n'étais pas colérique ni violent, mais obstiné. On parlait de mon discours dans la boucherie en riant, j'étais un sacré loustic à l'époque, quel aplomb ! Ma diatribe contre les animaux avait marqué les esprits. Heureusement, je m'étais calmé depuis. Maman conservait de l'inauguration un souvenir qui embellissait de jour en jour. Tu te rappelles, disait-elle avec sa pauvre voix toute fatiguée, tu te rappelles ce bouquet que les voisins avaient apporté ? Énorme, non ?

– Oui, maman, énorme. Mange encore un peu, tu n'as rien avalé depuis hier.

– Et ton frère qui s'était jeté sur le saucisson avant l'ouverture du buffet, quel numéro celui-là, tu te souviens de ton frère ?

– Oui maman, mange au moins le yaourt. Tu aimais ça, non, les yaourts ?

– Si tu le dis…

Depuis qu'il était en pension, mon frère s'entendait mieux avec moi. Le contraire n'était pas probant. Il avait passé son bac et suivait une formation pour devenir animateur sportif. C'était un métier qui lui allait comme un gant. Nous avions été élevés non pas à la dure, maman était plutôt coulante, mais comme de vrais petits mecs. Mon père nous racontait des blagues de garçons à table et pour nous encourager nous donnait de grandes bourrades qui laissaient des bleus. Le cœur de notre éducation tenait en cinq mots : « ne pas se laisser aller », et son auxiliaire : « ne pas devenir des gonzesses ». Maman s'y employa jusqu'à la fin avec application, comme si elle-même appartenait à une autre catégorie, ni femme ni homme, dans un royaume à part dont elle seule connaissait les frontières. C'était une malade étonnante, les infirmières l'adoraient, si tous les patients étaient comme elle, soupiraient-elles, et leur phrase s'arrêtait là. Quand j'entrais dans la chambre d'hôpital à l'improviste, je voyais sa perruque posée sur la table de nuit et pensais au calot paternel. Ce calot jetable, pas même en tissu, grimaçait ma mère, en non-tissé. Le dimanche après-midi, pendant qu'il faisait la sieste, elle perçait des trous sur le haut du calot avec la trouilloteuse à classeur de mon frère. Des trous pour l'évaporation, disait-elle d'une voix un peu trop solennelle, comme s'il s'agissait d'un terme savant. Évaporation, c'est simple, pourtant. Plus simple que rictus ou frigorigène, ou même trouilloteuse – je me suis longtemps demandé si nous étions les seuls à utiliser ce mot, ou s'il existait vraiment. Trouilloteuse, comme trouillomètre, dans l'expression avoir le trouillomètre à zéro. Avoir la frousse, les pétoches. Ai-je vu une fois, ne serait-ce qu'une fois, mon père avoir peur ? Je ne crois pas. Même le jour où un voleur s'était introduit dans le garage, il a gardé son calme. C'était quelqu'un, mon père. Il ne se plaignait jamais, ni des levers à l'aube, ni du froid, ni des kilos à porter sur le dos et, si je l'ai détesté jadis, je l'ai admiré aussi pour cela, pour sa capacité de résistance. Il avançait tout droit, menant sa vie comme il l'entendait, avec une cohérence que je lui enviais.

Il vint plusieurs fois rendre visite à ma mère pendant ses séjours à l'hôpital. Les infirmières le trouvaient charmant, il leur avait apporté une grande boîte de chocolats et laissé sa carte, au cas où. Très grand seigneur, très élégant. On me demanda ce qu'il faisait dans la vie.

– Dans la vie, mon père ? Il est boucher.

– Ah bon…

Du bout des lèvres, comme ça, les infirmières. En penchant légèrement la tête, sourcils relevés : ah bon…

Elles aussi s'accordaient à dire que nous nous ressemblions. Taillés dans le roc, pas du genre à nous laisser abattre. Elles avaient raison, je ne me laissais pas abattre. Il ne fallait pas tout confondre, ce n'était pas moi qui étais sous perfusion. Je voyais la maladie ronger le corps maternel sans me laisser contaminer. Je me répétais : Alex, il faut aller à l'hôpital comme tu irais au travail. Reste entier, c'est la seule façon d'être utile. Je restais entier et c'est vrai, j'étais d'une efficacité redoutable, pas seulement en ce qui concernait les détails pratiques. Mes gestes étaient justes, équilibrés, débarrassés de tout fatras affectif. Je ne voulais surtout pas que ma mère se sente redevable. Je ne voulais pas non plus qu'elle se fasse du souci pour mon avenir. Sans elle, tout irait bien. Tout irait mieux, même, puisque je n'aurais plus à m'occuper d'elle.

Ne pas être sentimental ne veut pas dire qu'on ignore les sentiments, loin de là. L'entente bancale de mes parents, puis leur séparation et surtout l'annonce de l'existence de Léonie m'auront appris ça, cette distance-là qui n'est ni de l'indifférence ni de l'héroïsme à deux balles. Sur le trottoir, le placard paternel. Rien à récupérer. Du neuf, du neuf ! Il faut avancer.

Les derniers mois furent éprouvants. Maman déménagea, ou plutôt fut transférée, puisque c'est ainsi qu'on me l'annonça, dans un centre de soins palliatifs. Après sa mort (sa délivrance, c'était sa façon à elle d'en parler, petite mère), je voulus partir à Bénarès, en Inde. Il paraît que le Gange est peuplé de tortues géantes. Dans le numéro de *National Geographic* qui traînait sur la table de la salle d'attente, une photo les montrait stationnant à quelques mètres des bûchers, ce sont sans doute elles qui ont déclenché mes envies de voyage. Dans mon histoire, il y a aussi des tortues. Des êtres rétractiles, mais on ne peut pas parler de tout en même temps.

Je n'allai pas à Bénarès, ni en Inde, ni nulle part. Je n'étais pas en état.

À l'enterrement, mon frère avait un pantalon en toile grise et une fille à son bras qui portait des collants neufs, ça se voyait à la texture – un collant lavé n'a pas cet allant. Elle était attirante, enfin, elle m'attirait. De grosses larmes roulaient sur ses joues, j'avais envie de les gober. Je sortis des mouchoirs en papier de ma poche, lui proposai de garder le paquet, et moi je gardai les yeux secs en public – maman aurait apprécié, j'étais le digne fils de mes parents.

*

La fille qui accompagnait mon frère au cimetière s'appelait Louise et Louise, donc, voilà ce que j'en retiens aujourd'hui, ce que je veux en retenir, Louise portait des collants neufs. Elle les avait achetés le matin même de l'enterrement. À ma façon de lui tendre le paquet de mouchoirs, à ma façon de la regarder pleurer, sans en faire une histoire, de ramasser son écharpe qui avait glissé par terre, à ma façon de sourire aussi (il paraît que je lui avais souri), Louise avait inventé que je serais l'homme de sa vie. Les filles, tout de même. Elle disait que j'étais beau, profond, intense, quoi encore ? Que je ressemblais à un acteur américain (elle ne trouvait jamais le nom). Du jour au lendemain, elle quitta mon frère et vint sonner à ma porte. S'offrit à moi sans chichi. Repartit sans chichi. Revint une fois, deux fois. À la troisième parla un peu. Elle aurait aimé que nous engagions ce qu'elle appelait une vraie relation. J'avais répondu de façon évasive. Je n'étais pas contre, j'en étais juste incapable. J'étais heureux quand Louise arrivait, heureux quand elle s'en allait. Mes désirs s'arrêtaient là. Depuis la mort de maman, je vivais cloîtré dans la maison. Je ne pouvais plus sortir de ma chambre, c'était comme çà, je n'en avais plus envie. Tout marchait trop vite dans la rue. Quand je dis plus sortir de ma chambre, c'est une façon de parler. Je me lavais un peu, me rasais quand ça commençait à trop gratter, allais faire des courses. J'ai mangé pendant six mois le même menu, quand j'y repense, je me demande comment j'ai tenu : café le matin, soupe aux nouilles le midi, soupe aux nouilles le soir. Et pas n'importe quelle soupe aux nouilles : la rouge, *lobster flavour*. Je buvais aussi de la bière, mais pas tant que ça finalement, et grignotais des quartiers de golden sans pépins. Je les achetais en sachets de cellophane, ce qui revenait beaucoup plus cher, mais cher par rapport à quoi ? J'avais trouvé une liasse de billets dans une enveloppe, sous la pile de draps. Maman l'avait laissée là pour moi (pas pour ton frère, avait-elle précisé, pour toi). Les pommes étaient calibrées, prêtes à croquer. Leur goût était stable, rassurant. Sur lui, on pouvait compter.

À ce régime-là, mon corps perdit en substance et Louise s'en inquiéta. Elle continuait à venir deux fois par semaine, le dimanche et le jeudi, nous faisions l'amour volets fermés, ou plutôt elle me faisait l'amour, c'était tendre et triste toute cette énergie qu'elle me donnait sans contrepartie. Je me demande si elle jouissait, je ne crois pas, elle faisait juste un peu semblant, pour m'enlever ce souci de la tête. Moi aussi il m'arrivait de simuler, surtout au début, quand je débandais en route, ou que ça ne venait pas, ainsi je pouvais écourter le rapport sans avoir à m'expliquer. Je lui occupais les mains pour qu'elle n'aille pas vérifier d'un doigt furtif si j'avais éjaculé. Il aurait été plus simple de lui en parler, j'avais toutes les excuses du monde de ne pas être au meilleur de ma forme, mais puisque Louise semblait se satisfaire de moi tel que j'étais, pourquoi me serais-je mis en difficulté ?

Elle me caressait d'abord le ventre avec une grande douceur, je me souviens de ça, de son attention pour cette partie de mon anatomie, puis son index suivait le dessin de mes côtes à la façon des enfants qui apprennent à lire. Je n'ai jamais retrouvé, chez aucune femme, cette application à me satisfaire. Tranquillement, sans acharnement. Je crois que ma maigreur la fascinait. Il est vrai que mon sexe en imposait, proportionnellement, mon sexe qui mangeait mon corps comme des yeux mangent le visage, ça aussi elle le disait, j'avais des yeux très beaux, très grands, de plus en plus grands à mesure que je maigrissais. J'imaginais ma bouche mangeant les pommes et mes yeux mangeant ma bouche, et mon sexe se retournant contre le tout, les volumes s'entrecroisaient jusqu'à ne plus savoir ce qui était dedans et ce qui était dehors. Cette sensation, je l'aurais souvent pendant cette période de ma vie, cette impression d'être retourné, au sens propre du terme comme au sens figuré.

Un dimanche, cette image me vint à l'esprit pendant que nous faisions l'amour. Je ne saurais expliquer ce qu'elle réveilla en moi, mais je me mis à la bourrer, pauvre fille, elle n'y était pour rien. Il fallait tout remettre à sa place, cogner jusqu'à perdre conscience et, par un étrange renversement, me retrouver à l'endroit. Je crois que je fis beaucoup de bruit au moment de jouir. En général, j'étais discret, je n'aimais pas l'idée que les voisins du rez-de-chaussée des immeubles puissent nous entendre (même si moi, j'aimais bien me branler en les écoutant), mais là, je ne sais pas, je me suis laissé submerger par ma propre voix. Je n'étais plus ni avec Louise ni dans un lit, j'étais devant une porte que je devais défoncer. Ça m'est arrivé une fois, de défoncer une porte, un grand coup de latte en prenant mon élan, puis un autre, encore un autre, jusqu'à ce que le bois se déchire. Je criais, j'en étais le premier surpris, des phrases dignes des films pornographiques que je regardais parfois sur le Net, des trucs à jouissance rapide, salope, espèce de salope, tu aimes ça, hein, dis-le, tu l'aimes ma grosse queue ? Aussitôt après, je fus pris d'une grande lassitude et sombrai dans le sommeil. Quand je me réveillai, la nuit était tombée. Il y avait un creux à la place de Louise. Dans la salle de bains, le savon avait changé de place.

Le jeudi suivant, Louise me demanda si ça ne me dérangeait pas d'être un peu moins violent. Non, ça ne me dérangeait pas. Enfin, c'est ce que je m'entendis répondre, et Louise bonne fille reprit sa routine des caresses interminables. En vérité, ça me dérangeait. Ou plutôt, ça me manquait. Je vivais dans le souvenir de ces cris, de ces insultes arrachés à quelqu'un que je ne connaissais pas. Je ne parle pas de Louise. Je parle de quelqu'un en moi dont j'ignorais jusque-là l'existence.

*

Au bout de quelques mois de ce traitement, notre relation donna des signes d'essoufflement. Louise continuait à venir comme si de rien n'était. Une telle obstination de sa part méritait sans doute que je lui manifeste un signe d'attachement, ou tout du moins, de reconnaissance. Je voulus lui offrir un cadeau, mais quoi ? Un bijou ? Louise ne portait pas de bijou, à part un élastique autour du poignet, parfois, celui de ses cheveux. Cette question m'agaçait, j'essayai de lui acheter quelque chose d'un peu cher et de bien emballé, n'importe quoi ferait l'affaire, mais je n'y arrivais pas. Je n'en étais pas capable. Alors, pour me débarrasser du problème, je déclarai à Louise un de ces dimanches pluvieux du mois de février que ça ne pouvait plus continuer comme ça. Louise était de mon avis. La séance de caresses se poursuivit comme d'habitude. Quand elle me prit dans sa bouche ce jour-là, je saisis sa tête entre mes mains, fermement, j'avais l'impression d'enculer un ballon. Le jeudi suivant, personne ne sonna à la porte du pavillon.

*

Celui qui a des bleus n'est pas forcément celui qui souffre le plus. Louise n'était pas venue depuis un mois maintenant. J'avais du mal à vivre sans ses caresses, son corps, sa régularité. Ses cuisses s'ouvraient largement lorsque je venais en elle, comme si mon plaisir avait raison de ses dernières résistances. Ses muscles lâchaient d'un coup.

Au début, je réussissais à l'oublier pendant la semaine, mais ça ne dura pas longtemps, et ce fut tous les jours qu'elle se signala à moi. Tous les jours, ici, là, sous forme de douleurs tournantes, le pied, le bras, l'acidité, la migraine. Quand j'appelai enfin Louise sur son portable, n'y tenant plus, un homme répondit. Je reconnus immédiatement la voix de mon frère. Ainsi, elle était retournée chez lui, merde, merde ! Je raccrochai, furieux. Mon numéro avait dû s'afficher, car mon frère m'envoya un message cinglant. Je n'avais pas intérêt à insister, écrivait-il. Louise avait besoin de se reconstruire. Notre relation l'avait bousiller (*sic*). Et, dans un second message, tout de suite après le premier : Si je détestais les filles, je n'avais qu'à me tourner vers les garçons.

Dans un troisième, en rafale : Personne n'y verrait d'inconvénient.

Je recomposai le numéro, mon frère décrocha, il se mit à hurler au téléphone, c'était pathétique – je coupai le son. Où avait-il été chercher que je détestais les femmes ? Certaines, oui, celles qui parlent trop aigu, celles qui rient trop fort, question de sensibilité auditive, mais toutes ? Je ne voyais pas ce qu'il voulait dire.

Et puis « me tourner » vers les hommes, non, vraiment.

Je me demandai ce que Louise avait raconté pour qu'il en vienne à cette conclusion. Qu'avait-elle à me reprocher ? Je m'étais juste laissé faire, ou plutôt je l'avais laissée faire. Laissée venir à sa guise. Jamais forcée à rien. Ni à me caresser, ni à me prendre dans sa bouche, sous la douche, avec l'eau qui coule de chaque côté de son visage, ni à repasser mon linge (il fallait toujours qu'elle fasse un peu de ménage avant de repartir) et encore moins à dire et répéter que j'étais l'homme de sa vie, que je ressemblais à un acteur américain, et toutes ces choses absurdes qu'entendent les garçons. Évidemment, il m'était arrivé de laisser quelques marques sur son corps, mais, encore une fois, n'était-elle pas responsable, ou au moins complice de ces débordements ? N'y trouvait-elle pas du plaisir, elle aussi ? Elle ne se débat pas, se contente de demander que je me calme, Calme-toi, Alex, s'il te plaît, calme-toi, d'une voix douce elle le demande, et Alex, plus par provocation qu'autre chose, lui dit de la fermer.

– Ferme-la, petite conne, tu vas la fermer, oui ?

Et qu'est-ce que fait cette adorable petite conne ? Elle la ferme. S'abandonne en étouffant des gémissements. Ce ne sont pas des plaintes, non, juste la manifestation de son émotion. La musique d'un être qui découvre que l'amour peut être un chamboulement profond. Un tremblement de terre. Pauvre chérie, comment expliquer ça à mon frère ? Lui, si restreint, si mesuré. Animateur sportif, je t'en foutrais. Jamais une plume qui dépasse. Prématurément vieilli, avec des ambitions de poulet basquaise. Que Louise se soit éloignée de moi, je peux le comprendre, je sais bien que je ne suis pas fréquentable. Moi-même, à sa place, je n'aurais pas résisté longtemps, mais qu'elle soit retournée avec lui, voilà qui m'attriste profondément.

*

42

À propos de Louise, une dernière chose. Elle a des grains de beauté symétriques sur les seins, deux et deux, qui forment un triangle parfait avec ses tétons. Le jour où je l'ai un peu bousculée, il faut l'avouer, je l'ai franchement bousculée, j'avais cette lubie d'obliger les triangles à rentrer l'un dans l'autre pour qu'ils forment une étoile. Comment expliquer ce besoin urgent, cette nécessité, c'était plus fort que moi, plus fort que le plaisir ou la douleur, ça emportait, cette vision d'étoile, ce besoin de relier, comme si je pouvais d'un seul geste entrer en connexion avec le ciel. C'est idiot ce que je dis ? Louise était à genoux sur le lit, les reins creusés, et moi derrière elle, en elle, j'ai empoigné ses seins, je les ai compressés l'un contre l'autre, jusqu'à ce qu'elle se mette à crier que je lui faisais mal. C'était un jeu, bien sûr, elle en conviendrait par la suite en se frottant le cou, car le cou aussi je l'avais serré juste après, pour qu'elle se taise. Elle savait bien que j'avais les oreilles fragiles.

Louise s'était pelotonnée dans un coin du lit. Elle ne voulait plus que je la touche. Ça tombait bien, après avoir joui, je n'avais plus du tout envie de la toucher. J'aurais même préféré, dans l'idéal, qu'elle disparaisse, comme dans cette blague que mon père avait racontée pendant l'inauguration de la boucherie, mais voyant son dos secoué de sanglots, j'avais fait l'effort de lui demander pourquoi elle pleurait.

– C'est le contrecoup, avait-elle répondu, laisse-moi, je vais m'en aller.

J'avais ri, cou, contrecoup, c'est cruel quand j'y repense, un fou rire irrépressible. Pauvre Louise, ma chérie, je ne me moquais pas de toi. Comme tu dois t'ennuyer avec mon frère.

II

Côté amitié, tout me semble plus simple. J'ai un ami d'enfance, un seul : Antoine. Il travaille dans une entreprise de miroiterie, il s'occupe un peu de tout, selon l'état des commandes et les besoins du patron. Un boulot qui ne prend pas trop la tête (c'est ce qu'il en dit) et lui laisse le temps de faire de la photo, d'aller au cinéma, de se promener.

Antoine sait qu'il peut compter sur moi et ce pouvoir que j'ai sur lui, cette petite dépendance, me le rend encore plus précieux. Il ne voit pas bien de l'œil gauche, qu'il tient à demi fermé, comme s'il avait une paupière plus lourde que l'autre. Nous nous sommes rencontrés en classe de sixième. Lui non plus n'aimait pas les récréations. Je le revois descendant les escaliers du collège, impossible de le confondre, même de loin. Antoine marchait de biais, sans doute à cause de ses problèmes de vision, mais il avait trouvé une façon très originale de bouger les bras pour compenser son asymétrie. Les autres

élèves se moquaient de lui. Cette allure si particulière me le rendit immédiatement sympathique. Ses parents étaient végétariens, je fus invité
une seule fois à dîner chez eux, j'en garde un
souvenir mitigé. Lui-même aurait bien mangé
de la viande, mais il en avait rarement l'occasion. Je devins son fournisseur attitré, jambon,
saucisson, pâté, j'apportai même au collège du
bifteck haché qu'il mangeait entre les cours,
cru, à même le papier, comme d'autres cro-
quent des friandises. Il le faisait en cachette,
très vite, mais un jour un élève nous surprit et
les garçons plutôt discrets que nous étions pri-
rent de la consistance. Nous formions un
binôme singulier, Antoine, son œil paresseux et
son appétit cannibale, et moi, son serviteur
silencieux. Un serviteur que tout le monde craignait cependant, à cause de ma carrure. Il ne
fallait pas me chercher. Je n'étais pas du genre
à jouer les chics types, comme disait mon père
– Antoine, lui, par contre, c'est un chic type. Il
ne te fera jamais une crasse, il sera toujours là
pour toi. Et effectivement, après le départ de
Louise, Antoine vint passer quelques jours à la
maison. C'est lui qui me persuada de déménager.

– Tu ne vas pas rester dans les meubles de ta
mère, il y a de quoi se flinguer...

Je regardai autour de moi, comme si je
découvrais les lieux. Depuis l'enterrement, j'avais
porté des œillères. Tout ce qui me rappelait
maman, le bol avec les craies pour reporter les

patrons, la machine, les vêtements suspendus, je l'avais ignoré. Je ne croyais pas plus aux fantômes qu'à l'enfance, ce qui restait d'elle ici-bas ne me concernait pas.

– Même moi, insista Antoine, ça me serre la gorge de voir son bouquin, là, ouvert près du divan. Pourquoi tu ne viendrais pas t'installer à Montreuil ? Il y a des studios à louer dans le quartier de la miroiterie, ce n'est pas génial, mais bon, pas trop cher. Mon patron connaît le gérant, il pourra te recommander…

À peine un mois plus tard, j'emménageai dans mon nouveau studio au sixième étage d'une rue peu fréquentée, laissant à mon frère le soin de s'occuper de la maison familiale. La caution payée, et le mois en cours, la bouteille de gaz, l'assurance, enfin le minimum vital acheté, je dus me rendre à l'évidence : mes économies ne dureraient pas longtemps. Il fallait que je trouve un travail. Avant toute chose, Antoine insista pour que j'aille consulter un spécialiste de l'audition. Si j'étais resté si longtemps enfermé dans ma chambre, c'était peut-être parce que cette fois je ne supportais plus du tout les bruits du monde.

*

L'oto-rhino-laryngologue, ou -logiste, je ne sais plus – mais sûrement pas l'ornithologue –, n'avait pas le charisme du médecin scolaire. Ce qu'il me dit ne m'arrangeait pas du tout. Il n'était plus question que je porte des bouchons d'oreilles, qui ne feraient à la longue, affirmait-il, que renforcer la gêne. Au lieu de m'isoler de ces bruits qui m'agressaient quotidiennement, il fallait que je les apprivoise. Je devais peu à peu habituer mon cerveau à remonter son seuil de tolérance. Je n'entendais pas *beaucoup* trop bien, d'après ses mesures, juste *un peu* trop bien. Je n'étais pas si remarquable que je le croyais. Nombre de ses patients auraient envié mon audition, et si les sons me troublaient à ce point, c'était sans doute là-haut que ça se passait.

L'oto-rhino se tapota le front de l'index. C'était étrange, cette façon qu'il avait de parler de mon cerveau, comme si celui-ci menait une existence à part, et cependant soumise à l'autorité de son hébergeur (en l'occurrence, moi, Alexis Leriche). Ou peut-être était-ce Alexis Leriche qui existait à part, au-dessus de son cerveau, le commandant à sa guise (mais le commandant avec quoi ? Avec mon cerveau ?). Les pupilles mangeaient le visage et la bouche la pomme, on y revient, je sentais mon crâne se déformer, mon sexe s'enfoncer dans mon ventre comme dans une matière gélatineuse, je levai les yeux : l'oto-rhino écrivait quelque chose dans mon dossier. Je voulus en profiter pour récupérer mes bouchons d'oreilles. Les deux billes rosâtres étaient posées sur le bureau. Elles étaient sales, j'aurais dû en mettre des neuves avant de venir, pensai-je, comme ma mère qui, avant d'aller se faire opérer, s'était acheté tout un stock de sous-vêtements. J'avançai la main gauche, je remarquai mes ongles, un peu sales eux aussi, endeuillés, c'est comme ça que l'on dit ? Des ongles endeuillés. J'étais sur le point d'atteindre mon but quand le médecin d'un geste prompt fit rouler les deux boules vers lui.

– On les jette à la poubelle, demanda-t-il, et ce n'était pas une question.

Je fus bien obligé d'acquiescer. Je n'en avais pas d'autres sur moi, il allait falloir que je sorte dans la rue sans aucune protection. Je fis part au médecin de mon appréhension. Il me posa encore quelques questions qui n'avaient pas grand-chose à voir avec mes oreilles, en apparence, avant de me prescrire un médicament au nom à rallonge.

La pharmacie se trouvait juste à côté du cabinet médical. Arrivé au comptoir, je dus me retenir d'acheter de nouveaux bouchons d'oreilles. La tentation était grande, ils étaient là, exposés près de la caisse, étuis de deux, de quatre, boîtes de huit qui me narguaient, kit gros ronfleur ou emballage carton, vingt-huit, trente-quatre, trente-sept décibels, mousse ou silicone, ou encore cire classique, je me mis à transpirer, et j'avais beau répéter à mon cerveau qu'il fallait qu'il élève son seuil de tolérance, la voix de la pharmacienne me creva les tympans.

– Et avec ceci, ce sera tout ?

Oui, ce sera tout, merci. Je payai et, avant de

sortir, enroulai mon écharpe autour de ma tête comme si j'avais une rage de dents. Arrivé dans ma chambre, j'avalai deux comprimés et je me couchai. Il était six heures du soir. J'étais épuisé.

Je dormis quinze heures d'affilée, pour la première fois de ma vie. Rien ne m'avait réveillé, moi que tout réveillait d'ordinaire, ni la voisine qui partait au travail, ni la pluie, ni les camions poubelles et leurs signaux de recul. J'avais l'impression de flotter dans une mer d'huile. Ces médicaments étaient assez impressionnants. Je descendis faire des courses pour tester leur effet dans la rue et poussai jusqu'au square de la République. Les bruits étaient toujours aussi forts, la différence, c'est que je n'avais plus l'énergie, ni même l'envie de les combattre. Je les recevais comme ils venaient, de plein fouet, comme un boxeur coincé dans les cordes. J'avalai de nouveau un comprimé. La sensation d'agression s'éloigna peu à peu. Je marchais lentement, voyais lentement, entendais lentement, ce n'était pas désagréable, finalement.

La boîte de médicaments fut vide plus tôt que prévu. Quand je me présentai à la pharmacie avec mon ordonnance pour la renouveler, on me suggéra de revoir l'oto-rhino afin d'adapter le traitement. N'avais-je pas un peu forcé sur la dose ? Je profitai de l'occasion pour reconstituer mon stock de bouchons d'oreilles. Je ne pouvais vivre sans protection, c'était comme ça, ma dépendance à moi, ma petite addiction. J'en touchai deux mots à Antoine qui me conforta dans cette voie. D'après lui, tout était mieux que de prendre ces cachets qui me ratatinaient les neurones. Ma solution était simple et peu onéreuse, elle ne nécessitait aucune surveillance médicale particulière, ne provoquait ni cancer du poumon ni accident cardio-vasculaire, que demander de plus ? Même avec les bouchons, je pouvais parfaitement suivre une conversation, et si la voix de mon interlocuteur me semblait trop faible, il me suffisait de les enlever, comme on enlève ses lunettes, ce n'était pas la mer à boire et surtout, toujours d'après Antoine, il y avait d'autres choses plus importantes dans la vie. Le métier, par exemple. Mon futur métier.

*

Trouver un travail, donc. Antoine insistait : Tu te vois où ? Tu te vois dans quoi ?

Où ? Quoi ? N'importe où, n'importe quoi. Ou rien de spécial. Ou garde forestier, comme disait maman. Ou contrôleur des douanes, de l'air, des impôts. Ça me plaisait bien cette idée de *contrôler*. Antoine n'avait pas l'air convaincu, mais il me laissait parler. Qu'importe tout ça, c'était du vent : je n'avais aucune formation, et aucune intention de reprendre des études. Pourtant, il fallait bien que je paye mon loyer. La conversation repartait en boucle. Je ne savais rien faire de particulier, à part entendre – et entendre, je le faisais trop bien.

Antoine se mit à éplucher les offres d'emploi. Enfin il trouva (selon ses propres termes) chaussure à mon pied, pile-poil la bonne pointure. Une agence de casting de voix recherchait quelqu'un pour classer ses archives sonores. Je fus le premier à répondre, paraît-il, et j'avais le bon profil – le profil, soyons lucides, de celui qui accepte sans broncher les conditions de travail et de rémunération. On m'engagea à l'essai. Je marquai un point dès le début en ne voyant aucun inconvénient à m'installer dans une pièce sans fenêtres, coincée entre l'entrée et la cage d'escalier (d'anciennes toilettes, sans doute, ripolinées de frais). On me fit miroiter la possibilité d'un déménagement avant la fin de l'année, mais j'assurai que pour rien au monde je ne voudrais m'installer dans un bureau donnant sur la rue, le bruit des voitures me déconcentrerait, j'étais très bien là où j'étais – je marquai un second point. Après quelques semaines de tâtonnements, je proposai un système de classement en étoile qui étonna tout le monde. Le directeur de l'agence, un grand échalas sans bouche qui reniflait souvent, jugea l'idée originale (dans mon dos, je l'entendis la qualifier de géniale). Le lendemain matin, je trouvai un contrat sur mon bureau. Je le signai sans le lire. On m'avait laissé entendre qu'une partie des heures ne serait pas déclarée et que, pour les autres, ce n'était pas Byzance. La vérité, c'est que j'aurais payé pour qu'on me confie ce travail. La vérité, c'est que j'en avais besoin, et pas seulement pour des raisons financières.

Dans la petite pièce sous l'escalier, le casque sur les oreilles réglé au minimum, je passais des heures studieuses et réparatrices. J'étais utile. J'étais compétent. Heureux que l'on reconnaisse non seulement ma qualité d'écoute, mais aussi mes capacités d'organisation et de concentration. Je m'occupais parfois des enregistrements, je me débrouillais bien, techniquement parlant. L'agence proposait une multitude de services, du book sonore aux annonces publicitaires, en passant par le doublage et l'habillage de films institutionnels. Encore quelques mois, et toutes les archives furent en ordre. Ma mission était terminée. On me garda pourtant : j'étais devenu indispensable au bon fonctionnement de l'agence.

Moi, indispensable ! En apparence, j'en rigolais, mais, au fond, cela me fit un bien fou. Pour la première fois depuis la mort de ma mère, je passai une soirée entière au café avec Antoine. La conversation tourna autour des filles, les bonnes, les moins bonnes, les autres, tout ça était assez flou. Antoine trouvait qu'il était temps que je me prenne en main, sentimentalement parlant, maintenant que j'avais un boulot, et après quelques verres de vin, il réussit à me convaincre.

Antoine devenait bavard quand il abordait le sujet de l'avenir, du destin, de l'épopée de chacun. Il parlait en termes de trajectoire, et c'était drôle de voir ce corps bancal prôner avec ferveur l'importance de la route, du chemin tracé au cordeau. Il fallait avant tout se définir un

but, disait-il. Un objectif raisonnable, pas forcément glorieux. Il citait en guise d'exemple son
voisin du rez-de-chaussée, marchand d'électroménager. Sa cible de l'année était claire : vendre plus de fours encastrables (qui dit four
encastrable, dit table de cuisson, dit hotte aspi-
rante, dit plan de travail, dit on ne va quand
même pas garder l'ancienne machine à laver).
Sous un masque désinvolte, il proposait à ses
clients une réduction substantielle, non sur
l'ensemble, mais sur le petit produit qui entraîne
les autres, en l'occurrence le four encastrable.
En langage clair, selon Antoine : pour construire sa vie, il fallait tout simplement voir (ce
qui est) et prévoir (ce qui sera). Voilà où ses
réflexions l'avaient mené. Et ça marchait. Il n'y
avait qu'à le regarder avancer dans sa propre
vie : Antoine avait un travail stable, correcte-
ment rémunéré, un toit, et même une amie, ou
des amies, il restait toujours très discret à ce
sujet. À la miroiterie, il grattait jour après jour
un peu plus de connaissances, un peu plus de
responsabilités. Et moi, Alexis Leriche, je devais
suivre son exemple.

*

Construire sa vie, donc. Mais avec quels maté-
riaux ? Une belle gueule, des devinettes, un
stock de boulettes enrobées de coton ? Le fils
Bifteck n'a pas assez vécu pour comprendre
l'ineptie de sa démarche, mais il a quelques

intuitions qui se révéleront intéressantes. D'abord, il pense les choses en termes de domination. Pas de domination de l'autre, attention : avant toute chose, il faut qu'il se domine lui-même. Pas besoin d'être deux pour dominer, s'était-il dit après la conversation avec Antoine, on peut très bien le faire tout seul (il s'était cru très intelligent). Dans un second temps, il fallait qu'il trouve une fille disponible, quelqu'un à qui s'attacher, qu'il n'aura pas envie de gommer à la première rature, et le voilà qui met noir sur blanc ses prétentions. Le classement, il s'y connaît. La précision. Il la veut : saine, gagnant sa vie, fiable, dévouée. De préférence grande, sexy, avec une grosse poitrine et des cheveux longs. Pas chiante.

À part « pas chiante » et « sexy », le reste, il l'écrit parce qu'il faut bien écrire quelque chose. Au fond, la taille, tout ça, quelle importance.

*

Je me promenais beaucoup dans l'espoir de croiser l'élue. Je marchais au hasard des rues, longtemps, de jour comme de nuit. Aux heures de pointe, je mettais double ration de cire dans les oreilles pour me protéger du bruit des voitures. J'avais l'impression d'être matelassé, l'impression de flotter dans la ville comme un bouchon de liège, avec les filles en guise de proies. Les bourdonnements avaient presque disparu. Un samedi en fin de journée, je passai devant la caravane d'une voyante stationnée près du métro Père-Lachaise. C'était un véhicule qui commençait à dater, avec sa lucarne ornée de géraniums et ses mouchetis de rouille. Une jeune fille, assise sur les marches, tirait sur une cigarette roulée en attendant le client. Elle ne ressemblait ni à la roulotte ni à l'image que l'on se fait d'une voyante. Ses cheveux courts dépassaient d'un béret de tricot multicolore, assorti à ses mitaines. Elle me faisait penser à Jeanne d'Arc, une Jeanne un peu déjantée. Quand elle s'aperçut que je ralentissais le pas, elle se leva souplement, balaya du revers de la main le bas de sa veste pour enlever les miettes de tabac. Je compris qu'il ne s'agissait pas d'une veste, mais d'une espèce de robe qui se portait un peu loin du corps. Je lui souris, elle me fit signe d'entrer dans la roulotte. Impossible de reculer. Au passage, je regardai les tarifs. Les prix étaient raisonnables. Et la fille, décidément, bien jeune pour exercer ce genre de métier.

L'espace était encombré d'objets qui, de près ou de loin, évoquaient les arts divinatoires – boules de cristal sur leurs supports en bois verni, posters du ciel, déclinaison des signes astrologiques, licorne pied de lampe, cartes de tarots, ainsi qu'un calicot qui reprenait les mots affichés près de la porte : « Passé présent avenir reçoit tous les jours sauf le dimanche », et plus bas, en rouge : « Le doute fait souffrir la certitude apaise l'esprit. »

L'absence de ponctuation donnait à ces deux

phrases un caractère énigmatique. *L'avenir reçoit tous les jours*, voilà qui me plaisait. Si j'écrivais un polar, il s'appellerait comme ça. J'imaginai la couverture, avec la photo de la roulotte et, en lettres rouges, le titre, ça aurait de l'allure.

Mademoiselle Klara, comme l'indiquait le panneau posé à l'entrée, enleva ses mitaines et les posa soigneusement sur le rebord de la fenêtre. Elle m'invita à m'asseoir sur une chaise pliante. Je lui demandai l'autorisation d'enregistrer la séance. Elle refusa gentiment, mais fermement, m'expliquant que les mots qu'elle allait prononcer n'étaient pas destinés à être conservés. Ils devaient produire leur effet, si effet il y avait, ici et maintenant. Je ne m'attendais pas à ce genre de discours. Je dus la regarder d'une drôle de façon car elle se sentit obligée de se justifier. Il était urgent, selon elle, de donner un bon coup de neuf aux représentations surannées qui accompagnaient l'exercice de sa profession. L'important à son avis n'était pas tant la prédiction en elle-même que le souvenir de la prédiction, la trace qu'elle laisserait dans mon subconscient.

Je hochai la tête. Si elle tenait vraiment à changer l'image des voyantes, pourquoi ne commençait-elle pas par faire un grand ménage autour d'elle ? Toujours est-il, Klara le répéta, que ce soit bien clair entre nous : il n'était pas question d'enregistrer notre conversation.

– Bien sûr, Klara, bien sûr, je comprends.

– Et vous, comment vous appelez-vous ?

– Leriche.

– Votre petit nom ?

– Alexis.

– Alexis… C'est joli, Alexis.

– Vous trouvez ?

– Oui, pas vous ? Pensez que vous pourriez vous appeler Eudes, par exemple, ou Richard, il faut le porter, Richard Leriche, vos parents vous ont épargné cette épreuve.

Je hochai la tête. Richard Leriche, personne ne me l'avait faite, celle-là.

– Donnez-moi votre main… Non, l'autre… Non, de l'autre côté, voilà, on va y arriver. Détendez-moi ce poignet… Que désirez-vous savoir, Alexis ?

– J'aimerais savoir… Si vous avez un ami.

Klara soupira. Oui, répondit-elle, j'ai un ami, mais je compris à son petit sourire qu'elle ne m'en voulait pas d'avoir posé cette question. Elle enchaîna sans se laisser démonter.

– Et vous, dit-elle en me tripotant le mont de Vénus, vous êtes seul depuis longtemps, je ne vous apprends rien.

Près de la fenêtre était affiché le portrait d'une sainte en robe de bure. Autour d'elle voletaient, tels des anges, des objets incongrus, un fouet pour se flageller, une cuvette, une croix peut-être, et d'autres choses encore difficiles à identifier.

– Vous connaissez sainte Delphine ?

– Moi et les saintes… Non, je ne la connais pas. Mais je connais une Delphine, nous étions au lycée ensemble, enfin je connaissais une Delphine…

– Elle était mariée, précisa Klara en désignant le portrait de la sainte, et néanmoins vierge. Obsédée par le mépris du corps. Je suis une viande, disait-elle à qui voulait l'entendre…

– Une viande ?

– Une viande, oui, destinée aux vers. Elle lavait les pieds de ses servantes, embrassait ceux des lépreux et passait de porte en porte pour mendier sa pitance, alors qu'elle était née comtesse. Drôle de personne, en vérité…

J'en avais entendu assez. Je déposai deux billets sur la table. Klara ne comprenait pas pourquoi je partais si vite.

– J'ai dit quelque chose qui vous a blessé ?

Non, pas blessé, ni déplu, au contraire. J'avais entendu ce que je voulais entendre. Son récit m'avait remis quelqu'un en mémoire. Quelqu'un à qui je n'avais pas pensé depuis longtemps. Quelqu'un que je croyais avoir oublié, mais que je n'avais pas oublié, pas du tout oublié.

Le visage de Klara s'illumina.

– Delphine pense à vous, affirma-t-elle en me serrant vigoureusement la main. De cela, il ne faut pas douter.

Je me retrouvai dans la rue, abasourdi par la phrase de Klara. La jeune fille avait remis ses mitaines. Elle remonta ses chaussettes, se rassit sur les marches, sortit son paquet de tabac. Je fis semblant de savoir où j'allais, reprenant ma route d'un bon pas en direction du métro.

Lorsque je me retournai, Klara était toujours là qui roulait sa cigarette. Elle aussi me regardait. Nous nous fîmes un petit signe. J'avais appris une chose dans la roulotte aux géraniums : il était inutile d'aller traîner dans les squares, les bars, ou de m'inscrire sur un site de rencontres. La femme que je devais trouver, celle qui remplacerait Louise, je la connaissais depuis longtemps.

III

Au lycée, Delphine était le type même de la grande fille saine qui plus tard n'aurait aucun problème pour gagner sa vie, parce que, de l'argent, il y en avait déjà pas mal autour d'elle. Pourtant, ses vêtements ne ressemblaient à rien. Ils n'étaient pas usés, non, ni défraîchis, mais on avait toujours l'impression qu'ils sortaient de son sac à dos. C'était son style, le plissé, le superposé, la fripe légère, la soie chiffonnée. Le tout sans négligence aucune, très étudié quand j'y repense. Je la voyais souvent traîner dans les couloirs. J'entendis plusieurs fois dire qu'elle était amoureuse de moi, sous forme de boutade dans un premier temps, puis de plaisanterie bien grasse, de celles qui font ricaner les puceaux travaillés par la chose, mais il ne s'était rien passé entre Delphine et moi, à l'époque. Cette fille me faisait peur. Elle me gênait, ou, plutôt que la fille, c'était sa beauté qui m'embarrassait, ou son amour. Un amour sur lequel je n'aurais aucune prise. Il y avait sans doute d'autres raisons encore, plus mystérieuses, de la garder à distance, quoi qu'il en soit, à la rentrée scolaire suivante, en classe de première, Delphine n'était plus là. Ses parents l'avaient changée d'établissement et l'on murmurait que c'était à cause de moi. À cause d'Alexis Leriche qu'elle avait tenté de se suicider. Elle s'était enfermée à clé dans sa chambre un soir et, le matin, ne s'était pas réveillée. On avait trouvé les emballages des médicaments dans le tiroir de sa table de nuit. Son geste m'avait effrayé, je n'y étais pour rien, pourquoi me regardait-on de travers ? Ses parents prétendaient que je lui avais laissé espérer des choses, c'était faux, archifaux.

Après le départ de Delphine, je pensai souvent à elle. Être aimé à ce point, ce n'était pas anodin. J'en tirais une étrange satisfaction. Aurait-elle réussi son suicide que j'en aurais été meurtri, bien sûr, mais aussi curieusement grandi. Parfois, je me branlais en y pensant.

Toujours est-il que Delphine, la belle Delphine, était vivante, selon toutes probabilités. J'étais persuadé qu'elle ne m'avait pas oublié. Persuadé même qu'elle n'hésiterait pas à bouleverser sa vie pour accomplir son rêve adolescent. Quel était son nom de famille ? Je n'arrivais pas à m'en souvenir. Quelque chose qui respirait le piège orthographique, un truc en *lt* à la fin, comme Hunault ou Hérault...

Fallait-il vraiment que je parte à sa recherche ? Que je ressorte les photos de classe ?

Ce n'était pas urgent. Le célibataire en moi

inventait toutes sortes de prétextes pour repousser l'échéance. Il se demandait, par exemple, comment Delphine réagirait si je portais les bouchons d'oreilles au lit, ou au restaurant quand nous irions dîner ensemble. Les bruits dans les restaurants sont insupportables, le cliquetis des couverts, la masse compacte des conversations et les éclats de voix, sans parler de la musique d'ambiance, c'est un des lieux les plus difficiles à fréquenter sans protection auditive. Probablement faudrait-il que je trouve une façon de dissimuler les bouchons, au moins dans un premier temps, que je porte un bonnet de laine enfoncé sur les oreilles, comme Klara, mais manger en bonnet, on allait me regarder de travers. La seule solution était de me laisser pousser les cheveux. Le célibataire en moi se frottait les mains. À raison d'un centimètre par mois, ou deux centimètres, cela prendrait quoi ? Six mois ? Un an ?

Six mois, un an avant de me lancer dans l'arène.

Et si Delphine, pendant ce « assez longtemps », rencontrait quelqu'un ? Quelqu'un d'autre ?

Et si elle était déjà mariée ?

C'est drôle, je n'ai jamais cru à cette seconde hypothèse.

*

Delphine était répertoriée sur le site des anciens élèves du lycée, elle postait régulièrement des messages et semblait être restée en contact avec quelques amies de l'époque. Hénault, elle s'appelait Hénault, comme trois mille huit cents autres personnes inscrites à l'état civil à l'instant où je lançai la recherche. Elle habitait à Paris, près de la Bastille, seule, ou non, pas seule, avec Jean-Paul, son chat angora, une énorme chose bouffante qui dormait sur son lit. Delphine Hénault en parlait avec affection, ce qui m'agaça un peu, mais ne me fit pas renoncer pour autant à mon projet de la retrouver. Accepterait-elle de s'en séparer si je lui disais que j'étais allergique aux poils de chat ? Je n'étais pas allergique, que cela soit bien clair, mais j'aurais bien aimé savoir : *si j'avais été allergique*, aurait-elle accepté de s'en séparer ?

– Delphine, je suis désolé, c'est Jean-Paul, ou moi.

Je répétai la phrase, debout devant le miroir de la salle de bains. Le corps bien campé, la jambe droite légèrement avancée, les bras croisés, le regard droit.

– Ton chat, je l'adore, ce n'est pas la question mais il me rend malade. Tu comprends, Delphine ? Malade. Tu sais qu'on peut mourir asphyxié d'un…

J'allai vérifier le nom de cet œdème qui fait gonfler le visage et le cou. Œdème de Quincke. Je n'étais pas sûr de la prononciation, heureusement que je n'étais pas de tempérament allergique, mais tout de même (la petite machine repartait), si j'avais été allergique, Delphine aurait-elle accepté de se séparer de Jean-Paul ?

Les photos disponibles sur le site les montraient souvent ensemble. Il y avait quelque chose dans le visage de Delphine qui me fascinait. Elle avait des yeux magnifiques, un nez assez long, très droit, une poitrine qui s'était bien développée depuis le lycée et, surtout, qu'elle ne craignait plus de mettre en valeur. Il fallait que je retourne voir ces images, de façon compulsive, plusieurs fois par jour, je ne pouvais pas m'en empêcher. Je rêvais que j'enfonçais ma queue dans le décolleté de Delphine. Un mardi du mois de juillet, elle avait posté une photo de vacances qui les dépassait toutes. Il s'agissait d'un autoportrait, sans Jean-Paul pour une fois. Delphine prenait le soleil sur une plage de sable, en bikini. Elle avait photographié la partie de son corps allongée devant elle. On voyait sur son ventre et sur ses cuisses des traces de crème solaire. Je me demandai si Delphine se rasait sous les bras. J'imaginai deux belles touffes de poils et me mis immédiatement à bander. Pourtant, le temps passant, et mes cheveux gagnant en longueur, j'étais de moins en moins sûr de moi. Comment avais-je pu me faire croire que ce serait si facile de la séduire ? Était-ce la réflexion de Klara qui m'avait envoûté ? Quelque chose encore me chagrinait : le numéro de Delphine n'était pas sur liste rouge, cette fille était incroyablement accessible.

J'accumulais les raisons de ne pas l'appeler, et bien sûr, n'y tenant plus, je l'appelai finalement un soir, sans avoir attendu que mes cheveux repoussent assez pour recouvrir mes oreilles. Tant pis, elle me prendrait comme j'étais, pourquoi aurais-je fait une exception pour elle, qu'avait-elle de si particulier ? Elle était belle, sexy, et alors ? Je n'étais pas mal non plus. J'avais préparé tout un discours, je voulais la convaincre qu'on se revoie, au besoin avec quelques copains de l'époque. Je tombai sur elle dès le premier essai. Elle n'eut besoin que de mon prénom pour me reconnaître. Elle avait l'air heureuse de m'entendre, oui, plus heureuse que surprise, comme si ce coup de fil était programmé, qu'il arrivait exactement au bon moment. Je lui exposai mon projet. Elle ne pouvait, me dit-elle, qu'applaudir des deux mains. À quoi je répondis qu'applaudir d'une main, c'était, au mieux, donner des gifles en rafale. Pourquoi parler de gifles ? Je reconnus immédiatement son rire. Sa voix avait légèrement changé, c'est drôle, je ne m'attendais pas qu'elle se soit mise à fumer.

Tu fumes ? j'ai demandé, et elle a ri encore. On ne pouvait rien me cacher.

*

Il pleuvait ce jour-là, de ces pluies minuscules qui font rosir le teint, lança Delphine en regardant le ciel. Elle était très élégante dans son tailleur gris taupe. Si son visage n'avait pas changé, sa façon de s'habiller était radicalement différente. Sans me prévenir, elle vint avec Zoé

– tu te souviens, Zoé Bernard, la copine de Myriam, elle était avec toi en première…

– Zoé Bernard ? Oui, bien sûr…

Comment oublier cette drôle de frimousse ? Zoé était toute petite à l'époque, toujours au premier rang sur les photos de classe – et aujourd'hui, pas beaucoup plus grande. Elle avait de grands yeux noirs et un menton fuyant. Mignon dans l'ensemble, oui, Zoé était mignonne, son côté enfantin, son regard pétillant, mais voilà : il y avait ce bas du visage qui gâchait tout. Quand elle souriait, son menton s'enfonçait encore un peu plus dans son cou, et lorsqu'elle approcha sa bouche pour m'embrasser, je ne pus m'empêcher de me demander comment ça faisait d'être là-dedans. Sexuellement, je parle. Les lèvres de Zoé étaient charnues, juste recouvertes d'une couche brillante, assez sensuelles en vérité si on les retirait de leur contexte. Je n'eus pas le temps d'approfondir le sujet, car Delphine Hénault me prenait par la main. Delphine qui me plaisait, elle, sans restriction. Je pouvais l'affirmer pour une fois : j'en tombai immédiatement amoureux, et tout aussi rapidement érigeai une nouvelle barricade pour me protéger d'elle. Il y avait de fortes chances pour que nous ne nous entendions pas. Je dressai mentalement la liste des choses qui nous séparaient. Elle était beaucoup trop apprêtée pour moi, portait des bijoux de prix, ponctuait ses phrases de « Tu vois ? » en veux-tu en voilà, passait souvent sa langue sur ses dents, comme si elle avait peur qu'un bout de salade ne soit resté accroché. Sa voix était râpeuse, son phrasé fluide, mais je ne supportais pas son rire qui jaillissait sans prévenir, trop aigu pour mes pauvres oreilles. Son sens de l'humour ? Surprenant, pour ne pas dire incompréhensible. Parfois franchement vulgaire, comme si quelqu'un en elle prenait la parole, quelqu'un qui avait été élevé ailleurs, dans une autre famille, un autre milieu. Son odeur ? Je ne sais plus, un problème avec son parfum (elle en changerait plus tard). D'autres détails encore qui me semblaient importants, mais que j'ai oubliés aujourd'hui.

Delphine Hénault jouait la carte « bons amis de toujours », pas une seule fois elle ne fit allusion à sa tentative de suicide. Zoé Bernard était près d'elle qui lui servait de bouclier, se dandinait, ne sachant sur quel pied danser, je la plaignais d'avoir à jouer un rôle si ingrat. Repoussoir, paravent, faire-valoir, il y avait une autre image pour désigner cette position, bougeoir peut-être, ou poupée russe, la dernière, celle qui ne s'ouvrait pas. C'est Zoé qui nous emmena dans un café près de la place Sainte-Catherine, un lieu tranquille me promit-elle en roulant des yeux, et en effet on y était bien. Les deux copines étaient assises sur la banquette, moi en face. Le regard de Delphine était intimidant, très clair, très droit. Je me raccrochai à la légende que m'avait racontée Klara, l'histoire de sainte Delphine, cette femme riche qui avait fait vœu de pauvreté – et de chasteté.

Le serveur se tenait devant nous, il attendait notre commande. Les filles consultaient la carte des alcools comme de vraies Parisiennes, elles ne se pressaient pas. Zoé commanda un kir, Delphine un citron pressé chaud – je ne savais même pas que ça existait. Je pris un café, en espérant qu'il soit servi avec un verre d'eau du robinet. Je ne demandai pas le verre d'eau, je me souviens de ça, j'avais soif, pourtant, mais j'avais peur qu'on ne m'apporte de l'eau minérale. Il me semblait inconcevable de payer une somme identique pour un verre d'eau et une bière pression, pourquoi prendre de l'eau, alors ? Je me sentais engoncé dans mon jean trop étroit, intimidé par la douceur des lieux. Pas à ma place. Dans ces moments-là, je redevenais le fils du boucher, celui qui allumait le barbecue sous le regard des voisins. Heureusement, la petite Zoé était d'humeur bavarde. Elle me raconta comment, à peine majeure, elle s'était retrouvée en Alaska pour accompagner une mission scientifique. Elle y était restée pendant deux ans, dont quelques mois à Point Barrow, sur la route des baleines à bosse. La première année, son copain (un Italien de Florence) lui avait offert un igloo miniature pour son anniversaire. Et au centre de l'igloo, il y avait un coffret qui contenait une chaînette en or – celle-là même qu'elle portait autour du cou. Elle était du mois de mai. Du 18, exactement comme Yannick Noah.

Yannick Noah, voyez-vous ça.

– Du 18 mai, repris-je, alors tu es…

Je n'y connaissais rien en signes astrologiques, mais j'avais lu dans un journal que toutes les filles s'y intéressaient, ce n'était pas Klara qui allait me contredire.

– Je suis Taureau, dit-elle en avançant le front.

– Moi aussi je suis Taureau, je crois, un Taureau d'avril.

– Ensuite, tout dépend de l'ascendant. J'avais une cousine…

Delphine écoutait Zoé d'une oreille distraite. Était-elle jalouse ? Je me tournai vers elle comme si soudain je me rappelais sa présence et lui demandai de quel signe elle était.

– Verseau, ascendant Verseau.

– Et qu'est-ce que tu fais comme boulot ?

– Ah, tu n'es pas au courant ?

Non, je n'étais pas au courant – comment aurais-je pu être au courant ? Delphine travaillait depuis quelques mois au ministère. Évidemment, le ministère, à côté des baleines et des igloos, ça ne faisait pas le poids. Et puis au ministère de quoi, mystère. Elle le précisa pourtant, mais je n'arrivais pas à fixer mon attention sur les phrases qu'elle prononçait, je regardais sa bouche, une bouche à sucer les boutons de porte aurait dit mon frère, je regardais ses dents, particulièrement bien plantées, ou implantées, très blanches, je regardais sa peau, très blanche aussi, fine, piquée de taches de rousseur au niveau des pommettes. Finalement, le serveur m'avait apporté un verre d'eau que je vidai d'un trait avant

de commander un verre de vin pour me donner de l'assurance. Dès la première gorgée, je
sentis que je reprenais des forces. Quel serait
mon avenir avec Delphine ? Il faudrait qu'elle
m'aide à changer de garde-robe, je me sentais
ridicule à côté d'elle. À part ça, nous allions bien
ensemble, nous étions grands tous les deux (mais
elle plus petite que moi tout de même), nous
avions de l'allure. Je nous imaginais sur le parvis
de l'église, car nous nous marierions à l'église,
sans doute. Je voulais un costume à la fois classique et original, j'espérais que Delphine connaissait des boutiques où l'on pouvait acheter
ce genre de vêtement sans dépenser une fortune. Est-ce qu'on gagnait bien sa vie quand on
travaillait dans un ministère ? Et qu'y faisait-elle
exactement ? Mon père viendrait à la cérémonie, il lui poserait la question. Il serait fier de
moi, fier de son fils aîné, et moi je ne saurais
plus où me mettre quand il raconterait ses blagues devant la belle-famille. Je me tournai de
nouveau vers Zoé.

– Tu te souviens d'Antoine ? Il n'était plus là
en terminale, il avait déjà déménagé à Montreuil, mais en seconde, tu l'as croisé, non ?

– Bien sûr, je me souviens très bien de lui. Un
brun, avec des yeux bizarres…

Delphine fit une grimace compatissante. Elle
le trouvait très touchant.

– Vous habitiez le même immeuble, non ?
Ou le même quartier ?

Elle nous voyait toujours repartir ensemble,

moi très grand, très carré, et lui qui godillait à mes côtés. Je lui racontai comment notre amitié s'était soudée grâce aux restrictions alimentaires que lui faisaient subir ses parents. Zoé rit de bon cœur quand j'en vins à l'épisode de la viande crue ingurgitée entre deux cours, à même le papier. Delphine prit un air dégoûté. Savait-elle que mon père était boucher ? Elle-même venait d'un milieu aisé, ça se voyait à la texture de ses cheveux. D'ailleurs, ce n'étaient pas des cheveux qu'elle portait sur la tête, c'était une chevelure. Un ensemble souple et brillant qui bougeait avec un temps de retard quand elle se retournait. Ne sachant comment rattraper l'histoire de la viande crue, je lui proposai de nous retrouver tous les quatre, avec Antoine, le dimanche suivant au bois de Vincennes, on louerait une barque, on pourrait pique-niquer. L'idée était économique, Zoé la trouva excellente, Delphine déclina l'invitation. Tous les dimanches, elle allait déjeuner chez sa grand-mère paternelle, avenue Niel, dans le XVIIe arrondissement (le bon XVIIe, précisa-t-elle en se penchant en avant, comme si cela pouvait signifier quelque chose pour moi). Son soutien-gorge semblait la gêner, elle glissa un doigt dans le bonnet droit, puis, et je suis sûr qu'elle savait très bien ce qu'elle faisait, le mit dans sa bouche comme pour lécher une goutte de sang. Je sentis mon sexe gonfler, il était mal placé dans mon pantalon, j'en eus le souffle coupé. Je me tortillai pour essayer de le décoincer, mais il refusait de bouger, piégé qu'il était dans sa gangue de toile. Je décidai d'aller aux toilettes. Tout se régla assez vite, très vite même, ce qu'on appelle une éjaculation précoce quand on est à deux, et que tout seul on peut qualifier non de plaisir, mais de soulagement. Quand je revins, les filles étaient en pleine conversation. Je restai quelques instants au fond de la salle pour les écouter – de l'avantage d'avoir l'oreille extrafine. Il est chaud, disait Delphine, je suis sûre qu'il est allé s'astiquer. Ah bon, répondait l'autre, comment tu le sais ? Et Delphine d'imiter ma façon de marcher avec ses doigts, tac, tac, tac, sur la table, le portemanteau dans le pantalon, la maladresse, et tout ça en riant, tout ça en battant des cils. Tout ça en remuant sa chevelure. Et qui travaille au ministère. Et qui porte des tailleurs gris taupe. Et qui déjeune dans le bon XVIIe, et que j'allais baiser bientôt.

– Il est beau, non, disait encore Delphine à son amie, encore plus beau qu'avant, tu ne trouves pas ? On dirait qu'il a fait quelque chose à ses sourcils…

Mes sourcils, qu'est-ce qu'ils avaient, mes sourcils ? Je me regardai dans la vitre qui séparait les toilettes de la salle principale. Delphine parlait encore. Il fallait que je regagne ma place, comme si de rien n'était. Les sons se découpaient nettement dans l'air stagnant du café, créant une espèce de pochoir en trois dimensions. Il y avait le contour des deux filles, qui me parvenait par les yeux, et le contour de leurs voix. Le contour des filles ressemblait à des cheminées couvertes, le contour de leurs voix au feu qui se consumait. De belles braises pensai-je, prêtes à s'enflammer…

– Qu'est-ce que tu dis ? demanda Delphine.

J'avais prononcé ces mots tout haut malgré moi en me rasseyant à la table. Je rougis. Ce n'était pas la première fois que je me surprenais en train de penser à voix haute, comme si les limites entre l'intérieur et l'extérieur de mon être perdaient en netteté. Sans doute avais-je passé trop de temps tout seul, sans autre interlocuteur que moi-même. J'étais devenu poreux. Delphine sortit un mouchoir en papier de sa poche et me le tendit. Je fronçai les sourcils, ces fameux sourcils qui prenaient soudain toute la place.

– Tu n'as pas envie de te moucher ? demanda-t-elle d'un air malicieux.

Pourquoi aurais-je envie de me moucher ? Je portai instinctivement ma main sous mon nez pour vérifier qu'il n'était pas en train de couler. Mes doigts sentaient le foutre. Quelques années plus tôt, c'était moi, dans un cimetière bien rangé, qui tendais un mouchoir en papier à Louise.

– Le rhume des foins, sans doute, ajouta Delphine en haussant les épaules.

Elle rit. Zoé rit. Elles riaient toutes les deux comme des bécasses qu'elles étaient. Oui, je m'étais branlé, et alors ? Je pris le mouchoir en papier et le glissai soigneusement dans ma poche.

J'étais un rêve, me répétai-je, son rêve adolescent, et les rêves, il ne faut pas les brader. J'allais attendre encore, la faire mariner. Peut-être même lui dirais-je, si j'en avais le courage, que je ne voulais pas coucher avec elle avant le mariage. Ah oui ! Quelle idée géniale ! Nous allions flirter jusqu'à en avoir les lèvres gercées, et nous en tenir là. Ne pas aller plus loin. Ne pas aller plus bas. Il me faudrait beaucoup de force pour lui refuser mes faveurs (faveurs, quel mot délicieux pour désigner la chose), je n'étais pas sûr d'en être capable, j'étais même sûr du contraire, mais ça valait la peine d'essayer. Une solution pour réussir était de ne pas me retrouver en tête à tête avec Delphine. Baby Zoé, comme je l'appellerais par la suite, était gaie, intelligente, elle ne prenait pas trop de place. Je crois que je l'intimidais. C'était le trio parfait.

Une heure plus tard, toujours les deux sur la banquette, et moi n'adressant la parole qu'à Zoé. Depuis son retour en France, elle travaillait dans un cabinet d'imagerie médicale, à l'accueil. Rien à voir avec son expérience sur la côte arctique, mais enfin, le contact avec les patients, le café de dix heures et les locaux bien chauffés, elle ne se plaignait pas, non, pas du genre à se plaindre – une fille courageuse, me dirait Delphine plus tard, dommage qu'elle ne sache pas se mettre en valeur. Elle était assez coquette pourtant, mais d'une coquetterie appliquée, comme on dit d'une couleur qu'elle est appliquée sur un tissu. Toujours cette sensation de retenue avec elle, de peau retournée, avec la fourrure à l'intérieur. J'appris au passage qu'elle s'était mariée avec ce scientifique italien qui travaillait sur la banquise, et cela me surprit. C'est drôle, je ne lui imaginais pas de mari. Son couple n'avait pas tenu parce qu'elle ne pouvait pas avoir d'enfant – enfin c'était sa façon à elle d'expliquer les choses. Delphine fit la moue quand elle prononça ces mots, Delphine qui maintenant tripotait ses bagues. Elle en avait plusieurs, au moins quatre ou cinq, mais ne portait rien à l'annulaire de la main gauche. Elle avait l'air de s'ennuyer. Regarda l'heure à plusieurs reprises. Le temps ne passait pas. Je me demandai ce qu'aurait fait mon frère en pareille occasion. Très grand seigneur, il aurait sans doute proposé aux filles de les emmener au restaurant. Combien avais-je dans ma poche ? Juste de quoi manger dans un fast-food, et je n'imaginais pas Delphine croquant de ses belles dents orthodontées un hamburger ramolli. Et l'odeur de frites dans sa chevelure, non, ce n'était pas pensable. J'allais proposer qu'on aille se promener quand Zoé Bernard lança l'invitation.

– Et si nous allions manger quelque chose à la maison ?

Dîner chez Zoé, avec Delphine, oui, excellente idée. J'achetai une bouteille de vin au passage. J'aurais préféré de la vodka, mais il me semblait que, pour une première fois, c'était un peu radical.

De sa vie maritale, Zoé avait gardé l'appartement rue Ordener, côté Guy-Môquet, et le goût pour la cuisine italienne. Le placard de sa cuisine contenait toutes sortes de pâtes, des longues, des creuses, des vertes et des jouffles. Toutes sortes de sauces également. Delphine choisit un bocal de pesto à l'ail en adressant un clin d'œil à son amie. Je rougis. Elle le remarqua, me demanda si c'était une réaction à l'ail, à l'idée de l'ail, ou si j'avais simplement trop chaud. Fallait-il que j'en profite pour annoncer à Delphine que j'étais allergique aux poils de chat ? Sans attendre ma réponse, Zoé ouvrit tout grand la fenêtre, on étouffe ici, vous ne trouvez pas ? Elle voulait dîner dans le salon, Delphine insista pour que nous mangions à la cuisine et, bien sûr, Zoé s'inclina. Tout se faisait toujours comme Delphine le voulait, c'était comme ça, ce serait comme ça. La table était bancale, je fus chargé de résoudre le problème. Je m'agenouillai à ses pieds.

– Pour une fois qu'on a un homme sous la main, dit Delphine en me caressant la tête comme si j'étais un chien, on en profite !

Je notai l'information. Selon toute probabilité, Zoé était seule elle aussi ; je me disais qu'elle pourrait bien intéresser Antoine. Le téléphone de Delphine sonna. Elle paraissait sincèrement déçue. Il fallait qu'elle rentre, une histoire de clés que son cousin devait récupérer chez elle, rue Sedaine, pas la porte à côté. Je proposai de l'accompagner, elle sembla tentée, regarda Zoé, me regarda, regarda son téléphone, l'eau des pâtes qui commençait à frémir, puis ses pieds, les pieds de la table bancale et encore son téléphone. Elle portait des chaussures très ouvertes, lacées autour de ses chevilles.

– C'est mieux que tu restes avec Zoé, maintenant que le dîner est en route, dit-elle en m'aidant à me relever (la pression de sa main). On ne va pas la laisser toute seule ici (encore un clin d'œil).

– Mais toi non plus, on ne va pas te laisser toute seule, insista Zoé. On n'a qu'à aller rue Sedaine tous les trois.

Delphine boutonnait sa veste. La décision était prise, elle ne changerait pas d'avis. Chez elle, c'était le foutoir, elle ne pouvait pas nous recevoir dans ces conditions. Je la raccompagnai jusqu'à la porte d'entrée. Elle m'embrassa un peu trop doucement, un peu trop longuement. Le temps s'étirait, j'avais l'impression d'être un grand élastique qu'elle tendait à sa guise et puis soudain, elle n'était plus là, la porte s'était refermée. Je retrouvai brutalement ma taille habituelle.

Lorsque je revins dans la cuisine, Zoé mettait la table pour deux. Ses gestes étaient souples et précis. Décidément, cette petite fille serait parfaite pour Antoine, pensai-je. Il fallait que j'en sache un peu plus sur elle, sur sa vie. Qu'avais-je de mieux à faire ? Je m'accrochai à cette mission pour oublier Delphine, la mettre de côté. Mon émotion aussi, de côté. En réserve. Nous avions ouvert une bouteille de vin blanc à notre arrivée chez Zoé, la bouteille était vide déjà, il fallait boire celle que j'avais apportée. Je posai des questions, méthodiquement, Zoé me répondait sans impatience. Son mari s'appelait Enzo, enfin Lorenzo sur son livret de famille, mais on disait Enzo tout court. Qu'est-ce que j'en avais à foutre ?

– Enzo, répétai-je, c'est un prénom qui sonne bien. Si j'avais un fils, j'aimerais bien qu'il s'appelle Enzo.

Je me souvins que Zoé ne pouvait pas avoir d'enfants, trop tard, la gaffe était consommée. Je me demande pourquoi j'avais dit ça, car il n'avait jamais été question pour moi d'avoir un fils, ni une fille d'ailleurs, j'avais assez à faire avec moi-même. L'idée de mettre au monde un être humain dont je serais responsable, merci bien.

*

La seconde bouteille était vide, et je savais tout des frasques du mari de Zoé. Elle en riait aujourd'hui, ils n'étaient pas faits l'un pour l'autre, il faut bien l'admettre. Je lui demandai comment elle imaginait son prochain compagnon, elle rougit, regarda ses pieds. Enfin, comme mon réservoir de questions était tari,

Zoé me dit que j'étais gentil, attentif, beaucoup plus gentil et attentif qu'elle ne l'aurait cru. De moi, au lycée, elle avait gardé une tout autre image.

– Une image comme quoi ?

– L'image d'un garçon très sombre qui se bouche les oreilles quand on lui parle.

Il paraît que je ne répondais pas aux questions, que j'étais à la fois renfermé et susceptible, que j'avais l'air prétentieux.

– Mais alors, lui demandai-je après avoir écouté avec attention le tableau désespérant qu'elle faisait de ma personne, comment expliques-tu que Delphine soit tombée amoureuse au point de…

– Au point de quoi ?

– Tu ne sais pas ?

De toute évidence, elle savait, mais je compris qu'elle préférait ne pas en parler.

Les pâtes étaient trop cuites, le pesto trop salé, ce fut tout de même l'un des meilleurs repas que j'avais mangés depuis longtemps. Pour le dessert, Zoé ouvrit une boîte de crème de marron. C'est elle qui trempa son index en premier. Elle avait l'air d'une gamine qui fait une grosse bêtise. Après avoir débarrassé la table, elle me proposa de visiter le reste de l'appartement.

J'aimai tout de suite cet espace. Je m'y sentais bien. Je ne sais pas ce qui m'attirait, peut-être simplement la superficie. La cuisine, vaste, et séparée du reste. La chambre qui ne faisait ni bureau ni placard. La vue sur le mur aveugle, et le silence surtout, le grand silence qui y régnait.

Le téléphone sonna, Zoé me passa le combiné, c'était pour moi. Delphine voulait s'excuser encore de nous avoir faussé compagnie. Elle avait eu beaucoup de plaisir à me retrouver. Elle me demanda si tout se passait bien. Je ne répondis pas. La voix de Delphine s'assécha d'un coup. Si elle nous dérangeait, il fallait le dire. Comme j'allais raccrocher, Zoé me prit le téléphone des mains.

– Tout se passe bien, ma Delphine, mais tu nous manques, on s'ennuie terriblement sans toi. Tu ne veux pas venir nous rejoindre ? Il y a de la crème de marron…

Delphine dut trouver la proposition rassurante, même si la crème de marron, non, ce n'était pas son style, et c'était à mon tour de faire des signes à Zoé : je voulais partir, j'étais fatigué. Delphine nous embrassa tous les deux très fort, elle aussi devait se coucher, demain elle avait une grosse réunion au ministère.

Zoé insista pour me raccompagner jusqu'au métro Guy-Môquet, elle avait besoin de prendre l'air. Elle ne marchait pas droit. Je restai à l'écart, car je savais que si je m'approchais, j'étais cuit. Arrivée devant la station, Zoé fit mine de me barrer le passage. Je la poussai doucement, elle perdit l'équilibre, heureusement se rattrapa à la rampe de l'escalier. L'une de ses chaussures dévala les marches, j'allai la chercher, Zoé la mit devant ses yeux, un peu trop près. Le talon était cassé, et ça dessinait une bouche avec la semelle, là, derrière, une bouche qui la faisait loucher. Zoé tanguait, elle riait, j'ai un peu forcé sur la dose, disait-elle en ouvrant et en refermant les lèvres de sa chaussure, comme si c'était elle qui parlait, un peu beaucoup forcé…

Je l'aidai à se relever et la reconduisis jusqu'à son immeuble. Elle voulut à son tour me raccompagner au métro, pieds nus cette fois, elle en avait marre de clopiner.

– Laisse-moi venir avec toi, insista-t-elle, et après ce sera à toi, tu feras ça pour moi, hein, tu ne me laisseras pas toute seule…

Ça aurait pu durer longtemps. Heureusement, un taxi libre passait sur la place. Je levai le bras et m'engouffrai dans la voiture, laissant Zoé agiter sa chaussure dans les airs en guise d'adieu.

C'était la première fois que je prenais un taxi depuis que j'habitais en région parisienne. Je voyais le compteur tourner. J'aurais dû prétexter n'importe quoi pour descendre, et poursuivre le trajet à pied ou en métro, de Nation c'était direct jusqu'à Robespierre, mais non, je laissais tourner. Si je n'avais pas assez d'argent pour payer, on verrait bien. Je pensai à Delphine, à sa façon d'être trop belle. Elle se croyait irrésistible, et elle était irrésistible, il faut bien le reconnaître. Je ne lui voulais aucun mal, et pourtant je savais qu'en lui résistant je lui faisais mal. Me vint à l'esprit qu'il n'était pas très malin de tomber amoureux d'une femme idéale, de la femme idéale. Il aurait été plus judicieux d'inverser les rôles en choisissant comme partenaire quelqu'un pour qui je pourrais représenter l'homme idéal. Celle qui serait heureuse avec moi. Et j'avais bien compris que je n'étais plus aussi désirable qu'avant pour Delphine. Je n'avais pas de situation professionnelle stable, pas d'appartement à plusieurs pièces, pas de famille à visiter dans le bon XVIIe, ni dans le mauvais d'ailleurs. J'étais un paumé qui travaillait dans un rabicoin, sous l'escalier, pour un salaire de misère.

La voix du chauffeur me fit sursauter. Nous étions arrivés. Je plongeai ma main dans ma poche, comptai les pièces : comme prévu, je n'avais pas assez d'argent pour payer la course. Le chauffeur accepta de m'attendre pendant que j'allais chercher le complément chez moi. Sa confiance me rassura sur la condition humaine en général, et la mienne en particulier. Comme il était sorti de sa voiture pour fumer une cigarette, je lui serrai longuement la main. Il se laissa faire. J'étais très sentimental, soudain, envahi par cette tendresse des ivrognes qui aimeraient tant sauver le monde. Je lui souhaitai une vie merveilleuse, à la hauteur de ses rêves, et quand j'eus prononcé ce mot, je me surpris à pleurer comme un gosse. Il me dit que bon, ça allait, je ne lui devais rien. Je pleurai de plus belle, insistant pour lui donner au moins les pièces que j'avais sorties de ma poche. Il les accepta et remonta dans la voiture après avoir jeté sa cigarette dans le caniveau d'une pichenette très, comment dire, cinématographique. Je pensai qu'il faudrait que je m'entraîne à faire cela, envoyer mon mégot d'une pichenette. J'avais encore beaucoup de choses à apprendre pour devenir un vrai Parisien.

*

Je réussis à voir Delphine plusieurs fois de suite sans lui sauter dessus. Je me trouvai héroïque. Elle portait toujours des tenues différentes, seuls deux éléments restaient immuables : la présence de Zoé à ses côtés et la profondeur de son décolleté. Il fallait toujours qu'elle laisse dépasser une bretelle ou un morceau de dentelle, et j'étais persuadé que, sous la jupe de son tailleur, elle ne portait pas des collants, comme Louise, mais des bas. J'en parlai à Antoine qui me suggéra de me méfier. Que ferait-elle de moi quand elle m'aurait à sa botte ? Dès le premier jour, je m'étais retrouvé à genoux devant elle. Pour caler une table, certes, mais à genoux quand même. C'était mauvais signe.

Antoine était-il jaloux ? J'essayai de détourner son attention en lui parlant de Zoé Bernard. Il comprit très vite où je voulais en venir et me coupa la parole. Il n'était pas intéressé par cette fille au drôle de menton. Et ça repartait sur Delphine Hénault qui, à l'écouter, allait pour se venger me faire lécher ses pompes, et quand j'en aurais bien marre de sucer ses lacets, quand je lui annoncerais que je la quittais, parce que je n'en pourrais plus de ses cosmétiques, de son chat angora et des cakes aux fruits de l'avenue Niel, elle me ferait du chantage au suicide.

– Elle te tiendra par là, conclut Antoine. Pas par les couilles, comme on pourrait le penser. Par les barbituriques. Et toi tu craqueras, parce que, au fond, tu es un bon garçon.

Je fis semblant de rire. Sacré Antoine ! J'essayai de le convaincre que c'était une aubaine pour moi, une fille qui travaillait au ministère, mais il s'obstinait. Delphine était dangereuse. Elle avait persuadé ses parents que je lui avais fait des avances, que c'était à cause de moi, de mon attitude, qu'elle avait perdu le goût de vivre.

– Qu'est-ce que tu dis de ça, hein ? Comment tu l'expliques ? Delphine n'est pas pour toi, tu l'avais compris au lycée, pourquoi changer d'avis ? Parce que tu as envie de la baiser ? Il y en a plein les rues, des filles avec des gros nibards, il faut que tu tombes justement sur celle qui va t'empoisonner la vie.

Antoine était très remonté, j'aurais pu le renvoyer dans les cordes, il l'aurait mérité, mais j'avais absolument besoin de son soutien. Je ne pouvais pas supporter qu'il me donne une image si négative de celle qui deviendrait ma compagne, puis ma femme, quoi qu'il en pense. Antoine se trompait, j'étais de taille à affronter Delphine, qu'est-ce qu'il croyait ?

Pour le convaincre, je l'invitai à manger des crêpes avec les filles, le lendemain, à la sortie du boulot. Avec un peu de chance, en plus de réviser son jugement sur Delphine, il tomberait amoureux de Zoé.

*

Comme prévu, Antoine révisa son jugement sur Delphine. Il la trouvait spéciale, mais plutôt sympathique. Non, pas spéciale, singulière, c'est le mot qu'il utilisa, singulière. Et terriblement séduisante. De Zoé Bernard, il ne dit rien – pourtant, il me semble qu'elle lui avait adressé la parole plus souvent qu'à moi. La conversation partait dans tous les sens, nous avions beaucoup de souvenirs à évoquer, il fallait retrouver le nom des profs, et celui des élèves qui nous avaient marqués. Au moment de commander une seconde crêpe, je réussis à capter l'attention. Je voulais saisir l'occasion de cette réunion pour parler d'un projet professionnel qui me tenait à cœur. Je n'allais pas rester toute ma vie à travailler pour des clopinettes, expliquai-je, ni à travailler pour les autres, surtout quand ces autres, le grand échalas en tête, avaient si peu de talent. Les voix qu'il recrutait étaient ennuyeuses à mourir, tout ça manquait d'imagination.

– J'aimerais profiter d'un plan de restructuration pour quitter la boîte, annonçai-je, et c'est là que j'ai besoin de votre soutien. J'ai décidé de créer...

Je marquai un temps d'arrêt, Delphine se tapotait les joues du bout des doigts, elle était impatiente de savoir.

– J'ai décidé, repris-je, de créer ma propre agence de casting vocal !

Zoé applaudit, suivie par les autres. Elle sauta à pieds joints dans le projet en proposant d'héberger l'agence rue Ordener. Son appartement était bien trop grand pour elle toute seule. Ça lui plaisait de savoir que cet endroit allait enfin trouver une nouvelle vocation. Pour preuve de son engagement, elle sortit son trousseau et me tendit la clé qui ouvrait la porte de service.

Devais-je accepter son offre ? Comme j'hésitais, attendant peut-être que Delphine fasse une contre-proposition, Antoine me poussa à accepter. Avoir un lieu pour démarrer, c'était inespéré – et moi-même de le rejoindre, conscient de l'aubaine –, inespéré, génial, il n'y avait pas de mot assez fort, tu es sûre que ça ne te dérangera pas, Zoé ? Mais non, si je te le propose, etc., etc., jusqu'à ce que Delphine tape du poing sur la table.

– Je peux en placer une ?

Bien sûr, Delphine, qu'est-ce qu'il y a ?

– Vous êtes des enfants. Des enfants !

Et de s'expliquer : monter une affaire de ce type, ce n'était pas du bricolage, nous ferions mieux de passer à la chambre de commerce avant de nous lancer. Il y avait certaines règles à connaître, un capital de départ à engager, des papiers à remplir, des dossiers à monter, enfin nous étions tellement, mais tellement naïfs tous les trois…

De quoi se mêlait-elle ? Je mis les choses au clair, quitte à être brutal, mieux valait que nous partions sur de bonnes bases. Il s'agissait de mon projet, à moi, personnellement. Pour commencer au moins, je désirais être seul maître à bord. Merci Delphine, je n'étais pas passé à la chambre de commerce, mais j'avais épluché les brochures en ligne, et c'est en connaissance de cause que j'avais décidé de créer non pas une entreprise, mais une association régie par la loi de 1901. L'expérience de la boucherie m'avait suffi. J'avais retenu la leçon.

Delphine croisa les bras, je crois qu'elle n'appréciait pas que je m'adresse à elle sur ce ton. Zoé regardait son assiette comme si elle s'attendait à la voir s'effriter sous ses yeux. Elle me le confirmerait plus tard, quelque chose dans ma voix lui avait fait peur. Un tremblement, peut-être, une ferveur qu'elle entendait pour la première fois. Antoine, qui me connaissait bien, ne se laissa ni séduire ni intimider. Il se moqua même un peu de moi. Bien sûr, ironisa-t-il, nous sommes à ton service, tu seras le seul maître à bord, tu, te, toi, personnellement, tu peux compter sur nous, et il mit ses mains sur ses oreilles comme le premier des trois petits singes de la sagesse.

IV

Je quittai l'agence de casting en emportant dans mes bagages les coordonnées de la plupart de ses clients – c'était un bon début. Mon objectif était d'offrir le même genre de prestations qu'elle, mais par Internet exclusivement, ce qui réduirait de beaucoup les coûts de fonctionnement. Je savais qu'en m'entourant de gens comme moi, capables de travailler des heures pour se prouver qu'ils existaient, les problèmes techniques seraient résolus à moindres frais. Je proposai à Antoine de devenir président de l'association et à Delphine d'en assurer la trésorerie. Ils acceptèrent tous les deux. À Zoé, je ne demandai rien. Pour elle, j'imaginai d'autres fonctions, plus directement liées au fonctionnement de l'agence.

Restait à trouver un nom.

Ce fut à mon tour d'établir des listes, et des listes de listes sur des feuilles volantes. Il y eut *voice over, star voices, voix curieuses, au paradis des voix* (il faut imaginer tout ça écrit en un seul

89

mot, suivi d'un point, puis d'un *com*). Il y eut encore *chercher sa voix, timbres singuliers* et *chacun sa voix*. Jouer sur l'homophonie voie/voix, bien qu'un peu simpliste, me semblait judicieux. Quoique. Rien ne s'imposait. Je soumis les différentes pistes à Antoine, puis à Delphine et Zoé. Sans hésiter, ils choisirent *Au paradis des voix*. La proposition était vieillotte, digne d'une enseigne de province, mais justement : c'était l'aspect décalé de la chose qui les séduisait. Son côté « vintage ».

– Ah bon, vous êtes sérieux ? Vintage ?

On ne peut plus sérieux. *Au paradis des voix*, le nom fut adopté à l'unanimité. Un paradis en noir et blanc, mieux encore en sépia, c'est ainsi que j'imaginais le site. Le contraire de ce qui existait alors sur la Toile. Pas de fenêtre surgissante ni d'animation colorée, de boutons rouges, jaunes, verts sur lesquels il faudrait cliquer pour accéder aux fichiers, mais un répertoire d'une grande sobriété, des informations claires, rigoureuses, et toujours ce petit côté rétro – du brun dans le blanc, comme les grains de beauté sur la peau de Louise, un charme qui inspirerait confiance d'entrée de jeu.

Delphine se demandait comment j'avais acquis ces compétences dans un domaine somme toute bien différent de ce que j'avais fait jusquelà. J'étais doué, disait-elle, j'avais le sens esthétique, la fibre du commerce, une excellente capacité de travail, quoi encore ? De l'intuition.

Les éloges s'empilaient, ils étaient sincères à

n'en pas douter, mais j'avais du mal à les recevoir, car j'entendais toujours, après chaque compliment, la suite de la phrase. J'étais doué (pour un fils de boucher), où avais-je trouvé toutes ces idées (sous une pile de côtelettes) ?

Le samedi suivant, ce fut au tour de Delphine de nous inviter à dîner dans un restaurant luxueux près de la Bastille (ce que je considérais comme luxueux à l'époque, mais qui n'était en fait qu'une brasserie de bonne qualité). Elle portait ce jour-là une blouse presque transparente qui laissait deviner son nombril. Ses seins aussi, bien sûr, mais eux, on avait l'habitude de les voir. Plusieurs regards se tournèrent vers nous tandis que nous entrions dans la salle principale, enfin nous, façon de parler, c'était Delphine qu'on regardait. Son ventre était très musclé, sans une once de graisse. Elle allait à la gym plusieurs fois par semaine. Le garçon fit glisser la table pour qu'elle s'installe sur la banquette. Quand elle s'assit, sa jupe remonta, découvrant la ligne de ses bas qui tenaient tout seuls et, pendant que le garçon remettait la table à sa place, elle tira sa jupe, un peu, mais pas trop, juste ce qu'il faut. Tout un art.

– Tu sais ce que m'a proposé mon patron ? demanda Antoine. Il veut que je lui fasse des photos pour son catalogue, et je me disais que tu pourrais poser pour moi, devant les miroirs...

Delphine hocha la tête. Elle écoutait Antoine d'une oreille distraite. Prenait son verre, le reposait. Jouait avec ses bagues. Ça devait être quelque chose, pensai-je, que de vivre avec une fille comme ça. Même sans parler, sans échanger un mot, pour le bonheur de surprendre ses gestes intimes. De la regarder bouger, se lever le matin, faire sa toilette, se coiffer, s'habiller et voir si on est capable d'oublier son physique, à la longue, ou même de la trouver pas terrible, tiens, oui, laide quand elle se brosse les dents. Vivre avec une fille comme ça, une fille comme Delphine, pour la rabaisser un peu, évidemment, ça viendrait bien un jour, cette envie de la confondre, ne serait-ce que pour prouver que l'on existe. Qu'avait-elle de plus que nous, au fond ? Échapperait-elle à la bêtise, à l'abattement ? Et son sexe, soyons précis, était-il plus joli à l'intérieur que celui de Zoé ? Mieux tapissé ? Plus musclé lui aussi, assorti à ses abdominaux ? Antoine prétendait que les femmes trop belles portaient en elles leur destin tragique, je ne sais pas où il avait lu ça, mais cette réflexion l'avait marqué. Le doigt piqué, la voix confisquée, les années en jachère dans un cercueil de verre... Les contes, disait-il, étaient truffés de jeunes filles ravissantes et désespérées. Je n'avais pas su quoi lui répondre, parce que Antoine n'était pas franchement avantagé par la nature, et que cette théorie devait le rassurer un peu. Au fond, il avait peut-être raison. La beauté a ses avantages, je suis bien placé pour le savoir, mais ne serais-je pas tout aussi heureux aujourd'hui (ou malheureux) avec une peau grêlée et un bec-de-lièvre ? Ils me tien-draient compagnie quand je serais tout seul à la maison. Tiens, dirais-je à mon bec, tu as l'air triste aujourd'hui. Il approuverait. Oui, je suis triste, répondrait-il, ta langue n'est pas venue me voir de la semaine. Je sortirais la langue et lécherais le bec, encore, encore, jusqu'à ce qu'il s'endorme, apaisé.

*

Le jour où Alexis Leriche, et non Richard Leriche comme Klara m'appelait (ce prénom me collait à l'esprit, Richard Leriche, ça aurait eu de la gueule au moins), le jour où Alexis, donc, fils de Paul et Fabienne Leriche, déposa les statuts d'*Au paradis des voix*, il se rasa les che-veux. Que faut-il en déduire ? Pas d'interprétation hâtive, SVP. Alexis ne croit pas en l'inconscient ni au hasard qui fait bien les choses. Pour lui, à l'intérieur, il n'y a rien, voilà ce qu'il affirme, aucune vérité cachée, aucun secret à révéler, aucun monstre cornu qui tire les ficelles ; ou alors (c'est une autre façon de l'énoncer) le monstre n'est pas un crapaud caché sous une pierre, il est la pierre, l'arbre, le cours d'eau qui, partant des montagnes, sait déjà qu'il finira dans la mer. Nous ne sommes pas plus nos tri-pes, disait-il, que la vache est un steak haché. Nous sommes, point. Hommes et femmes, des animaux. Corps et âme réunis en un seul mot. Quoi qu'il en soit, trêve de fioritures : si je me suis rasé les cheveux le jour où j'ai déposé les statuts de l'association, ce n'était pas pour ressembler à mon père, mais pour imposer mes limites. Ça me semble important de le souligner.

Imposer mes limites à qui et pourquoi ? À moi-même, en premier lieu. Pour définir une bonne fois pour toutes ce qui était moi et ce qui n'était pas moi. Pour ne plus laisser s'échapper des pensées à voix haute. Pour suivre le chemin que je m'étais tracé avec l'aide d'Antoine, cette idée de construire sa vie comme on construit une maison. Une vie avec des murs, un toit, des fenêtres à double vitrage. Tout ça bien dessiné. Très important, les plans. Les lignes. Les contours. L'isolation.

Delphine n'aimait pas ma nouvelle coiffure – si l'on pouvait parler de coiffure à propos d'un crâne débarrassé de son fatras capillaire. J'avais l'air plus vieux, disait-elle, plus austère. Presque inquiétant. Voilà que je lui faisais peur, pauvre chatoune ! Depuis le jour où j'avais précisé que je voulais être seul maître à bord, elle se tenait à distance, et cette réaction ne m'étonna qu'à moitié. En vérité, elle m'arrangeait. Si quelque chose devait se passer entre nous, ce serait plus tard, quand le *Paradis des voix* serait sur les rails. Il n'était pas question que je me traîne comme un pouilleux aux côtés de Delphine, inventant chaque jour de nouveaux prétextes pour ne pas avoir à l'inviter au cinéma ou au restaurant, pour la simple raison que j'étais fauché. Oui, il fallait que je gagne de l'argent, et ce serait bientôt à ma portée. Un an, deux tout au plus. Mon nom ne figurant pas au bureau de l'association, rien ne s'opposait à ce que je sois salarié. Restait à trouver une somme rondelette afin d'acheter le matériel d'enregistrement. Je convoquai le trio pour évoquer le sujet. Antoine me proposa de m'en prêter une partie, Zoé dit qu'elle pourrait emprunter. Delphine les écrasa tous les deux en dégainant son chéquier.

– La trésorière, c'est moi. Et le trésor est là ! Tu veux combien ?

Je crus qu'il s'agissait d'une boutade, mais non. Delphine insistait. Elle avait déjà séparé le chèque de la souche et sorti son stylo plume, il ne lui manquait plus qu'une estimation des frais à engager. J'effectuai un rapide calcul et lui donnai le résultat, légèrement diminué, comme si j'avais peur qu'elle trouve cette somme exorbitante. Elle inscrivit le chiffre annoncé sans sourciller sur la ligne prévue à cet effet.

– Ce n'est rien pour moi, et puis ça me fait plaisir, commenta-t-elle en battant des cils.

Je vis le rectangle de papier coincé entre son pouce et son index, ses ongles vernis, sa bouche peinte, et surtout j'entendis son petit rire en cascade, ce petit rire victorieux qui découvrait ses gencives. Je me mis à douter. À la trouver trop sûre d'elle-même, trop fabriquée, trop riche, comme on dit d'un aliment qu'il est riche en portant sa main à l'estomac. Pour qui se prenait-elle ? Delphine manquait de tact et, même si j'avais toujours envie d'elle, plus que jamais envie d'elle, je me demandais s'il était raisonnable de nous engager dans une relation à long terme. L'argent n'y ferait rien, j'aurais toujours l'impression d'être à la traîne. Une sale odeur de province sous mon eau de toilette hors de prix. Un je-ne-sais-quoi dans ma façon de renifler peut-être, de manger mes asperges ou de m'essuyer la bouche en dépliant largement ma serviette, alors qu'un coin aurait suffi. Quant à coucher avec Delphine sans m'engager, je n'étais pas contre évidemment, ça m'aurait même bien arrangé dans un premier temps, mais ce n'était pas possible (je me le répétais pour m'en convaincre), nous avions trop attendu. Trop espéré et, dans son cas, désespéré. Il n'était pas question de jouer avec le feu. Enfin pas question… Un petit coup rapide dans les toilettes, je sors ma queue, ses longues cuisses autour de ma taille…

– Qu'est-ce que tu rumines ? Prends ce chèque, Alex, ou je le donne à la Croix-Rouge.

Je chassai d'une toux nerveuse l'image des toilettes et empochai le chèque. L'argent servirait exclusivement à l'achat du matériel, certifiai-je, et lui serait remboursé dès que possible.

Quand nous nous sommes quittés ce jour-là, je fus incapable de remercier Delphine comme il aurait été naturel de le faire. Elle soupira en passant son manteau et, d'une voix délicieuse, m'invita à boire un dernier verre chez elle. Elle approcha ses lèvres de mes lèvres, si près, trop près, jusqu'à sentir son haleine au parfum d'anis, puis tourna la tête au dernier moment et m'embrassa sur la joue. Merde, je bandais encore, et toujours ce pantalon trop serré à la braguette. Zoé s'était éloignée, je ne pouvais pas compter sur elle pour me sauver. Heureusement, Antoine interrompit notre conversation en me tapant vigoureusement sur l'épaule.

– Alex, je te raccompagne chez toi ? On y va ?

Oui, Antoine, chez moi. Vite, vite. De toute urgence.

Les jours qui suivirent l'épisode du chèque furent compliqués. Delphine téléphona plusieurs fois sur mon portable. Quand je voyais son numéro s'afficher, j'étais pris de panique. Allais-je décrocher ? Non, et puis oui, et non finalement, c'est tout ce qu'elle méritait. On ne pouvait pas m'acheter si facilement, un petit chèque et hop, à disposition. Je laissais sonner. Je l'imaginais s'impatientant au bout du fil. Comment pouvais-je lui en vouloir à ce point ? Et la désirer à ce point ? Parce que je lui en voulais, c'était évident, d'avoir tout cet argent sur son compte, et deux cartes de crédit et une grand-mère dans le bon XVIIe et tout le bazar. Je lui en voulais et je la voulais. J'étais piégé.

Je ne savais plus où j'en étais, qui je devais aimer, ne pas aimer, et si aimer même signifiait quelque chose. Ces pensées occupaient trop de place dans mon esprit au moment où il aurait fallu que je me concentre sur l'élaboration du

Paradis. Un soir, pour essayer d'y voir plus clair, je dressai l'inventaire de ce qui me plaisait chez cette fille. Un peu d'ordre, me disais-je, soyons cohérent.

Ce qui me plaisait, donc : la chevelure, les paupières, le décolleté bien sûr, l'odeur d'anis, le ministère, la tentative de suicide qui prouvait que Delphine était attachée à moi.

Je relus la liste à voix haute, et rien de tout cela ne me rendait joyeux.

*

Pour me changer les idées, je décidai d'aller revoir Klara. Je pensais souvent à elle. À sa façon de balayer du revers de la main les miettes de tabac sur sa drôle de robe. Il y a des gestes qui vous touchent, on aimerait comprendre pourquoi. Je l'imaginais répétant le même mouvement sur mon ventre, sur mes fesses, sur ma queue en érection. Comme ça, avec nonchalance sa main qui balaye. Je l'imaginais recevant des clients dans sa roulotte et leur faisant une petite gâterie sous la table. Lisant leur avenir dans les lignes du gland. Tâtant leurs couilles d'un air rêveur, les soupesant.

Klara me plaisait à sa façon, sans exagération. Rien à voir avec Delphine, bien sûr. Rien à voir, mais justement, elle m'aiderait à m'en détacher. Au moins, avec elle, je n'aurais pas honte de mes origines. Je pourrais lui raconter les histoires familiales sans avoir à les déguiser. Le

pavillon sous les immeubles, la boucherie transformée en institut de beauté, la maladie de
maman. Pauvre maman, son corps si léger,
comme un nuage percé de tuyaux. Quand je la
prenais dans les bras pour l'aider à s'asseoir,
j'avais toujours peur de la blesser. Elle gardait
sous son lit d'hôpital ses chaussures de ville,
c'était important pour elle de savoir qu'elles
étaient là, prêtes à repartir.

Plus j'y pensais, moins cette idée de faire un
bout de chemin avec Klara me semblait incon-
grue. Elle m'avait dit qu'elle avait un ami, mais
un ami, ça se quitte. J'accélérai le pas. Klara
serait sans doute assise devant la porte, il faisait
beau, ce n'était pas vraiment l'heure de pointe.
Malheureusement, lorsque j'arrivai à la hauteur
de la caravane, il n'y avait personne sur le petit
l'escalier. Une ombre bougeait derrière les
rideaux, j'avais l'impression que ce n'était pas
la silhouette de Klara, ou peut-être portait-elle
des vêtements qui déguisaient ses formes. Je me
décidai à frapper, trois coups légers sur la porte
de fer, et c'est bien elle qui ouvrit, mais un *elle*
qui ne lui ressemblait pas. Ou qui ne ressemblait pas au souvenir que j'avais gardé d'elle.
Quant au souvenir qu'elle avait gardé de moi, il
n'était ni bon ni mauvais : elle ne me reconnut
pas. Il fallut que je lui précise que je m'étais
rasé les cheveux pour que Klara me remette –
c'est comme ça qu'elle dit : ah oui, bien sûr,
Richard, je te remets...

– Alexis, pas Richard ! Alexis Leriche.

– Excuse-moi, oui, bien sûr, Alexis…

Klara me tutoyait, elle avait l'air contente de me voir. Elle remonta ses manches avant de poser les coudes sur la table, les poings fermés et la tête sur les poings. Je la regardai longuement sans rien dire. Je me sentais floué, elle était nettement moins attirante que prévu. Elle portait un collier de perles en plastique. Tout dans son apparence sentait la fille qui rame pour s'en sortir. Comment avais-je pu imaginer une seule seconde que nous étions compatibles ?

Comme la première fois, Klara prit ma main gauche et ce contact m'apaisa. Elle ferma les yeux, se concentra, sa respiration ralentit, j'entendais l'air siffler quand elle expirait, siffler quand elle inspirait, mais le son était plus aigu – j'avais le souvenir que la voix de Klara était douce, très douce, et en effet elle l'était, ou plutôt elle le devint. Une voix pâle, légèrement détimbrée, comme celle de ces animatrices qui annoncent les embouteillages à la radio.

– Il y a une grande réussite dans ta vie, dit-elle enfin, et un grand échec. La réussite concerne le domaine professionnel. L'échec, je ne sais pas. Il ne s'agit peut-être pas d'un échec, d'ailleurs, juste un retard dans l'accomplissement. Ou un accident. Tu as des projets de voyage ?

– J'aimerais aller en Inde.

– Ton vol sera annulé. Je vois un problème de santé dans ta famille. Ton père ?

– Ma maman.

– Je suis désolée… Elle est malade ?

– Non, c'est fini depuis déjà un moment.

Je m'attendais qu'elle me demande si c'était la maladie de ma mère qui était terminée, ou sa vie, mais non. Klara n'aimait pas les explications. Elle n'était pas là pour échanger, elle était là pour dire. Elle proposa de me tirer les tarots afin de compléter sa prédiction. Je la laissai faire, rien d'exceptionnel n'en ressortit, si ce n'est la présence d'une carte sans numéro figurant un vagabond poursuivi par un chien. Son pantalon était déchiré au niveau de la cuisse, le mot m'échappait, comment appelait-on cette blessure du tissu ? Un accroc, avec trois *c*, accroc. Croc de boucher, atomes crochus, croche-pied, et quand on sautait sur une jambe ? Cloche-pied. Je me revoyais dans la cour de récréation, tous ces enfants qui jouaient à la marelle autour de moi et moi, j'étais aussi un enfant, non ? Drôle de souvenir. La voix de Klara me fit sursauter.

– Tu veux me poser une question ?

– Non, Klara, pas de question. Je voulais juste te dire que Delphine, tu sais, la fille avec qui j'étais au lycée…

– Oui, je me souviens, sainte Delphine.

– Nous nous sommes retrouvés. Je voulais te remercier de m'avoir mis sur sa piste. Combien je te dois ?

Elle sourit. Je ne lui devais rien. Cadeau. Pourtant, je sortis de la roulotte avec l'impression d'avoir perdu quelque chose. Pendant tout le trajet en métro, je regardai par terre, à l'affût d'un signe. Je trouvai une pièce de deux centimes, le début de la fortune, dit-on. Cette pièce, je l'ai toujours, mais la fortune ? Elle s'est évaporée.

*

L'appartement de Zoé était vide, un petit mot sur la table de la cuisine précisait qu'elle travaillait jusqu'à dix-neuf heures puis irait sans doute au cinéma avec une collègue du labo. Delphine avait laissé deux messages sur ma boîte vocale pendant que j'étais dans la roulotte. Je ne savais pas si son insistance me gênait ou si elle me rassurait. Il m'arrivait de partir sur de grandes projections, ça tournait toujours autour des mêmes scènes, le mariage, la vie commune, le corps de Delphine à disposition. La famille qu'il faudrait apprivoiser. Les règles de table à apprendre. Les petits arrangements du dimanche. Je me demandais si Delphine serait capable d'abandonner quelque chose pour moi. Abandonner, par exemple, l'idée d'avoir des enfants. N'était-ce pas le cœur du problème ? Il faudrait que je la surveille, je me connaissais. Je la soupçonnerais d'oublier volontairement sa pilule, je lui dirais, tu la bouffes tous les soirs devant moi, c'est compris, tous les soirs je te donnerai la becquée, voilà, tu l'avales, ouvre grand que je vérifie ? Et je passerais mon index partout, contre les gencives, sous la langue, sur le palais, ça la ferait mouiller, nous terminerions l'un sur l'autre, l'un dans l'autre, ça deviendrait un jeu. Un soir pour me narguer, alors que j'aurais bien inspecté sa bouche et que nous ferions l'amour, elle me tirerait la langue. La pilule se tiendrait dessus, toute brillante, comme un minuscule piercing – l'effet serait radical, je débanderais illico. Dephine irait s'enfermer dans la salle de bains. Je partirais en claquant la porte et passerais la soirée au bistrot avec Antoine.

En attendant, j'étais toujours seul, et j'avais envie de baiser. Je me servis un verre de vodka que je bus d'un trait. Mes oreilles se mirent à bourdonner. Cette histoire d'enfant me préoccupait. Je ne me sentais pas bien soudain, la tête qui tournait, je dus m'asseoir en attendant que ça passe. Mais ça ne passait pas. J'avais du mal à respirer, une douleur sous les côtes, une curieuse sensation dans le bras gauche. Fallait-il appeler un médecin ? Et quel médecin ? Je téléphonai à Antoine, puis à Zoé, sans réussir à les joindre. En désespoir de cause, j'appelai au ministère, sur le poste personnel de Delphine. Elle décrocha à la première sonnerie.

– Oui Alex, je suis en réunion, dit-elle d'un ton sec. Je peux te rappeler ?

Non, pas me rappeler. Il fallait qu'elle vienne tout de suite. Je l'attendais chez Zoé. C'était urgent. Très urgent.

Delphine se pointa deux heures plus tard, j'aurais pu crever dix fois. En fait de crever, le malaise s'était dissipé aussi vite qu'il était arrivé. Ce n'était rien, sans doute une chute de tension ou l'effet du verre de vodka à jeun, c'est vrai, je n'avais rien mangé de la journée, toujours est-il que j'en voulais beaucoup à Delphine d'avoir négligé mon appel au secours. Quand elle sonna enfin, pour me venger, je n'allai pas lui ouvrir la porte. Delphine appela Zoé à la rescousse, Zoé qui, elle, quitta immédiatement son travail, sauta sur son scooter et monta les étages à toute vitesse pour finalement me retrouver devant mon ordinateur, un casque sur les oreilles. Elle se précipita vers moi, me saisit par les épaules. Elle avait l'air bouleversée.

– Ça va, Alex, qu'est-ce qui s'est passé ?

– Je ne sais pas, des taches noires devant les yeux, j'ai eu très peur, mais maintenant ça va, pas d'inquiétude, je me sens mieux.

Malgré ces paroles rassurantes, Delphine proposa de me conduire aux urgences. Je lâchai un « tu crois ? » éthéré, me levant avec prudence, comme si je redoutais de tomber, puis sans donner d'explication me rassis devant l'écran.

Delphine était inquiète, ce n'était pas trop tôt. Son anxiété se lisait à sa façon de se frotter la base du nez avec son index replié, de se masser le cou, puis de froisser le lobe de son oreille droite en guise de doudou, comme si ces contacts fugitifs avec son propre corps pouvaient la rassurer. Elle insista, il fallait que je consulte, nous irions chez son oncle si je ne voulais pas aller à l'hôpital, il me recevrait sans rendez-vous.

– Ton oncle ? Il fait quoi, ton oncle ?

– Il est cardiologue.

– Ah oui, cardiologue, j'aurais dû m'en douter. Tu n'as pas un oncle banquier aussi ?

– Si, pourquoi ?

– Non, pour rien.

Je me remis debout en me tenant à la table, enfilai mon blouson, changeai d'avis au moment de passer la porte. Et ainsi pendant plusieurs jours, plusieurs semaines, pendant toute l'installation du *Paradis des voix* chez Zoé, en fait, je jouai au chat et à la souris avec Delphine. Avec obstination, elle revenait vers moi, vers nous, je la laissais approcher, puis lui tournais le dos sans plus d'explication. Je savais bien que ma réaction était disproportionnée puisque la gravité de mon malaise était pure invention, mensonge, mise en scène, mais, s'il ne l'avait pas été, Delphine aurait agi de la même façon, voilà ce que je n'arrivais pas à lui pardonner. Zoé, elle, était venue tout de suite, laissant son travail en plan, au risque de le perdre. Elle n'avait pas réfléchi. Il y avait cette phrase absurde qui me revenait sans cesse à l'esprit : dix fois, j'aurais pu crever dix fois – comme si mourir n'était pas à sens unique.

*

J'étais toujours locataire de mon studio à Montreuil, mais je dormais de plus en plus souvent rue Ordener, chez Zoé, pour ne pas perdre de temps en transport. Les premières voix du *Paradis* avaient été enregistrées trois semaines après le dépôt du chèque à la banque. Mon but était de les mettre en ligne rapidement, mais pour cela il me fallait l'aide d'un stagiaire compétent en informatique. Je passai une petite annonce et reçus une cargaison de CV accompagnés de lettres de motivation mieux tournées les unes que les autres. D'ores et déjà, dans le lot, il y avait deux étudiants et un graphiste débutant qui feraient, j'en étais persuadé, de parfaits esclaves consentants. Mon père, qui accueillait souvent des apprentis à la boucherie, m'avait légué cette capacité à flairer les bons candidats. Sa façon de les mettre à sa botte était d'une grande efficacité. Une fois le jeune sélectionné, il l'invitait à la maison, le nourrissait, acceptait d'aménager ses horaires. Il était gentil, drôle, rassurant. Caressant même, dans le sens du poil.

Pour extraire le jus d'un citron, disait-il à propos des nouvelles recrues, il faut bien le masser avant de le couper en deux, et de le presser.

Suivait un bruit répugnant qu'il faisait en chassant l'air de ses joues entre ses dents, le bout de la langue collé contre son palais, diarrhée de gargouillis qui déclenchait l'hilarité générale. Son visage se métamorphosait, et lui si élégant devenait soudain ce personnage grimaçant qui me donnait envie de disparaître sous la table.

Parmi les trois candidats présélectionnés, un seul me parut vraiment à la hauteur dès le premier rendez-vous. Il s'appelait Lucas, et Lucas se mit en quatre pour me livrer un site clé en main contre une attestation de stage et une vague promesse d'embauche (qui se réaliserait, d'ailleurs, je n'allais pas laisser filer un collaborateur si précieux). Zoé suivait les avancées du *Paradis* avec curiosité et bienveillance. Lorsqu'elle rentrait de son travail, il fallait que je lui raconte ma journée en détail, quel comédien j'avais enregistré, sur quel extrait de texte, comment s'était déroulée la séance. Si Lucas était passé, elle le voyait tout de suite, à la façon dont les câbles étaient rangés. Elle se moquait gentiment. Je me demande si elle n'était pas amoureuse de lui.

Lucas était un garçon ordonné. Au moindre problème informatique, il venait nous dépanner. Il aimait cette idée de rassembler des voix de toutes origines et ainsi, peu à peu, de conduire les clients (ou les futurs clients) vers une autre représentation du monde. Pourquoi ne pas tenter avec les sons, disait-il, ce qui commençait à se faire avec les images : mélanger les couleurs, les tailles, les origines… Lui-même s'était prêté au jeu. Après passage dans le micro, sa voix ténue, à la limite de l'effacement, s'était révélée étonnamment riche et touchante. La légère hésitation qui précédait ses mots obligeait à tendre l'oreille. C'était bien cela qu'il fallait vendre, cette capacité qu'ont certaines personnes à déclencher l'attention. Les phrases énoncées trop clairement sont faciles à écarter de l'esprit. Elles se dressent comme des arbres cultivés, répartis de façon régulière dans l'espace sonore, les éviter est un jeu d'enfant. La voix de Lucas était peuplée de lianes et d'arbres penchés. Il fallait se concentrer, être vigilant pour ne pas se prendre les pieds dans les ronces. C'était une voix moussue, disait Antoine qui commençait à s'y connaître en matière de son, une voix de forêt plutôt que de ce bois coupé dont on fait les scènes de théâtre. J'avais beaucoup d'affection pour elle, et comme par hasard ce fut la première du *Paradis* qui trouverait preneur. La première à être louée.

*

Au début, je pensais démarcher les clients que je connaissais déjà, mais Delphine me persuada de procéder autrement (Delphine avait souvent raison, même si cela n'était pas facile à admettre). Il était plus prudent de commencer par me constituer ma propre clientèle, sans piétiner les plates-bandes des professionnels ayant pignon sur rue. Il ne fallait pas qu'ils se méfient et, se méfiant, qu'ils nous mettent des bâtons dans les roues.

Démarcher de nouveaux clients, donc, merci Delphine, c'est intéressant, mais dans quel domaine ?

Delphine réfléchit. La nuit tombait. Antoine était là aussi, nous marchions doucement pour ne pas glisser – c'était la fin de l'hiver, il avait neigé. Nous allions chercher Zoé au travail. Nous ne nous étions pas retrouvés tous les quatre réunis depuis l'épisode du chèque. Delphine s'arrêta devant la vitrine d'une agence immobilière. Pensait-elle déménager ? Quitter la rue Sedaine pour un appartement plus grand ? Les nuages qui sortaient de nos bouches se rejoignaient quand nous tournions la tête l'un vers l'autre. Nos bras se frôlèrent, je compris que quelque chose allait changer entre nous. Non pas allait changer, quelque chose changeait, imperceptiblement, avait changé.

– Et si, lança-t-elle, si…

Et si, si quoi ? Si nous habitions ensemble ? Si nous arrêtions de nous tourner autour ? Delphine prit ma main, mais nos peaux ne se touchaient pas, elle portait des gants. Je balayai mon émotion d'un raclement de gorge. Delphine poursuivit comme si de rien n'était. Et peut-être pour elle, à bien y réfléchir, rien n'était, ou, plutôt, rien ne se passait encore, rien ne s'était passé d'exceptionnel.

– Si tu proposais aux agences immobilières d'enregistrer leurs annonces et de les balancer sur la Toile ? Des visites virtuelles, en somme, commentées à ta façon.

De retour devant l'ordinateur, elle me montra ce qui existait en la matière. Pièce après pièce, des voix de synthèse faisaient la réclame pour des appartements à vendre, le tout enrobé de musiques sirupeuses. C'était accablant de médiocrité. Delphine avait du flair, il y avait effectivement une place à prendre, un marché à inventer.

Est-il besoin d'en raconter plus ? Rien ne changerait entre Delphine et moi ce soir-là. Déception ? Soulagement ? Je ne sais plus. Le soulagement l'emporta sans doute, alcool aidant, car je me souviens que la soirée fut très gaie. Chacun voulait participer à l'élaboration de la nouvelle branche du *Paradis*, la branche « Real Estate ». Antoine se montra le plus réaliste. La petite Zoé notait. Delphine imaginait les accroches. Un duplex mal foutu devenait un lieu atypique, idéal pour laisser libre cours à sa créativité. Une cuisine minuscule pouvait toujours être agrandie, mais, au fond, n'était-ce pas plutôt un gain de place ? Son carrelage pourri (dire : à l'ancienne) était plus attachant qu'un lino fraîchement posé. Delphine s'égarait un peu, mais il y avait des trouvailles dans ce qu'elle proposait. Puis, soudain, il fallut qu'elle s'en aille, prétextant un dossier à relire pour le ministère. Antoine la suivit de près, Zoé disparut dans sa chambre. Quand tout le monde fut parti, je m'installai dans le bureau et commençai à rédiger l'offre destinée aux agences immobilières.

*

Le lendemain, Zoé m'apporta mon café un peu plus tôt que d'habitude. Je lui fis lire ce que j'avais écrit pendant la nuit. J'insistais sur le côté « ludique et interactif » des annonces – j'avais trouvé ces mots sur un site canadien, et l'adjectif « immersive » aussi, dans l'expression « visite immersive ». J'étais assez fier de ma conclusion : « Selon un protocole technique rigoureux, en tenant compte de vos capacités budgétaires, *Au paradis des voix* vous offre un vecteur de communication hautement performant. Un bien immobilier n'est pas un produit de consommation comme les autres. À nous de le faire aimer. »

– Pas mal, non ? *À nous de le faire aimer...*

Le texte relu et corrigé, j'appelai Lucas à la rescousse. Deux semaines plus tard, nous avions réalisé une maquette visuelle et sonore en prenant comme cobaye l'appartement de Zoé. Le lendemain, la visite était en ligne, avec dans le rôle des guides virtuels, au choix, Delphine ou Lucas. Je fis le tour des agences immobilières du XVIe arrondissement, leur offrant une annonce test à prix cassé si elles répondaient rapidement. Mon offre dut arriver à point nommé, car j'obtins la confiance de trois d'entre elles, dont une avenue Mozart qui semblait sérieusement accrochée. Il faut dire que nos tarifs étaient très bas, si bas qu'une fois les frais remboursés il ne me restait pas grand-chose, mais j'étais tellement sûr de moi que ça ne me dérangeait pas de travailler pour des clopinettes.

Et Lucas me suivait. Jamais il ne compta ses heures pendant toute la période du lancement du *Paradis*. Il me rappelait le premier apprenti de la boucherie, et sa mine réjouie quand mon père lui tapait sur l'épaule en clamant : c'est un bon gars, il a la boucherie dans le sang !

Découper, désosser, barder, ficeler, il savait tout faire mieux que les autres. La boucherie dans le sang, répétait mon père en me regardant, et moi j'imaginais des petites barques pleines de carcasses, ou des sous-marins plutôt, qui naviguaient dans les veines de l'apprenti. Des couteaux insubmersibles. Des os à moelle miniatures. Des mots aimables aussi, oui madame Machin, une belle tranche de bœuf cuit, et avec ceci ?

Lucas était comme lui, à la fois discret et obstiné. Il filmait, enregistrait, montait, codait, rien n'était jamais un problème. J'avais de la chance de l'avoir à mes côtés. Souvent, je lui demandais de m'accompagner chez les clients. Je comptais sur sa timidité pour me donner du courage. Je m'appuyais sur lui. Quand il s'emmêlait dans ses explications, j'étais bien obligé de prendre le relais, je passais pour le sauveur, celui qui a de l'expérience, celui qui sait. Ça me plaisait.

Au second rendez-vous, le directeur de l'agence de l'avenue Mozart aborda les questions de paiement. Comme l'avait pressenti Delphine, il tiqua sur le fait que le *Paradis* ne soit pas une entreprise, mais une association à but non lucratif. Comment expliquer à cet homme au regard sévère qu'on pouvait vendre nos annonces sans pour autant poursuivre des visées purement commerciales ?

Là, il faut le reconnaître, j'eus un trait de génie. J'inventai que nous travaillions en partenariat avec un institut accueillant des non-voyants (je faillis dire aveugles, mais je me repris à temps). Les non-voyants, donc, étaient particulièrement intéressés par nos actions. Nous étions engagés auprès d'eux pour œuvrer à l'introduction des voix sur le Net, non seulement en proposant la généralisation des sous-titres sonores, mais en induisant un véritable travail de réflexion au sein même de la communauté du Web. Nous tenions à faire évoluer le regard (là, je traçai deux petites virgules dans l'air avec mon index et mon majeur, signifiant que je plaçais le mot entre guillemets), le « regard », donc, que les voyants portaient sur les non-voyants en particulier, et le handicap en général.

– En général, répéta Lucas d'un air concerné.

Je pensais m'en être bien tiré, quand mon interlocuteur me demanda mes motivations profondes.

Mes motivations profondes ? Et pourquoi pas mes mensurations pendant qu'il y était ? Ce type commençait à m'énerver. Je me tournai vers Lucas. J'étais à sec.

– C'est à cause, enfin, grâce à son père, commença Lucas. Le père de monsieur Leriche, qui…

Il me regarda à son tour avec insistance dans

l'espoir que je rattrape la balle au bond. Mon père qui quoi ?

– Autant le dire tout de suite, improvisai-je, il n'y a rien de mal à ça. Mon père a perdu la vue quand j'étais enfant. Un terrible accident de tronçonneuse à jambon.

– De tronçonneuse à…

– Oui, une défaillance technique, le modèle a été retiré de la vente.

Je ne pus m'empêcher de sourire. Le directeur de l'agence se frotta les yeux d'un geste mécanique. J'ajoutai que nous engagions souvent des non-voyants pour enregistrer nos voix off et que si lui-même, pour des raisons personnelles, était sensible à la question du handicap, nous en tiendrions compte. Nous pourrions ajouter dans les annonces l'icône « Canne blanche », et même (j'étais décidément très inspiré) la phrase : « Laissez-vous guider par un non-voyant », qui plaisait beaucoup d'ordinaire.

Le directeur ne remit plus jamais en question le fait que l'association facture les prestations. Car elle facturerait ses prestations, à un prix cassé pour les premières annonces, mais au tarif normal pour les suivantes. Et, après négociation discrète, avec une bonne partie de la somme versée en liquide, ce qui, je le constaterais au fil du temps, arrangeait bien les agences immobilières. Il y avait du cash à remettre dans le circuit, du dessous-de-table à blanchir. Et pour blanchir, j'étais partant.

114

Six mois plus tard, *Au paradis des voix* était lancé, et moi, je me promenais avec un bon paquet d'argent liquide dans les poches. De l'argent qui coulait, gratuit, à dépenser, de l'argent qui ne me coûtait rien. Même si je ressentais toujours une certaine angoisse quand je voyais les chiffres défiler sur le compteur des taxis, je ne prenais plus jamais le métro. Enfin, plus jamais quand j'étais accompagné, car il m'arrivait encore de le prendre seul et de penser en introduisant le ticket dans la machine à la somme que j'étais en train d'économiser. Je choisis mon premier costume au rayon homme des grands magasins, sans regarder le prix. Ou presque. Les vêtements de marque m'allaient bien. Je me trouvais beau, et j'en jouais. Je me fis même faire une paire de chaussures sur mesure. Pour la première fois de ma vie, j'achetai des livres neufs, des livres à moi, que je lisais avec un sentiment de luxe inouï. Je donnais des pourboires aux livreurs. J'étais généreux, on me remerciait. J'allais mieux, bien mieux, et il n'était pas rare que je me promène dans la rue sans aucune protection auditive. J'avais l'impression que les bruits me faisaient moins mal – ce n'était pas une impression, ils me faisaient moins mal, parfois même je ne les remarquais plus. Je débarquais enfin sur la terre ferme après un long voyage peuplé d'alarmes tonitruantes et si Antoine me comparait à Ulysse ce n'était pas seulement à cause des bouchons de cire dans les oreilles. J'avais gardé le cap dans les moments les plus sombres, disait-il, survécu à l'abattement et passé sans encombre les rochers dangereux. Du chant des Sirènes, j'étais sorti vivant. J'avais inscrit leurs voix sublimes au catalogue du *Paradis*. Elles étaient miennes, à disposition.

*

Le *Paradis* décollait au-delà de nos prédictions. Il volait haut, claquant au vent, comme tout cela me plaisait ! J'étais heureux, alors. Heureux, moi ! Mais aussi inquiet, fatigué, surchargé de travail. Zoé m'aidait autant qu'elle le pouvait, passant ses week-ends à assurer la comptabilité, Antoine classait les dossiers, s'occupait des achats et des relations extérieures, mais ce n'était pas suffisant. Delphine revint à la charge, elle nous l'avait bien dit au moment de la création de l'agence, nous devions nous professionnaliser. Elle voulait me présenter son cousin à la mode de Bretagne, Julien Carsenti, qui s'occupait d'une pépinière d'entreprises créée (ne te fâche pas Alex) par la chambre de commerce et d'industrie.

– Une pépinière, insista-t-elle, pour repartir sur de bonnes bases. Et au passage récupérer quelques aides publiques.

Des aides ? Je dressai l'oreille. Avec mon label *Cannes blanches*, Delphine était persuadée que je pourrais faire un tabac au niveau européen. Exactement le genre d'initiative qui raflait les subventions. Il suffirait de bien monter le dossier.

116

Et pour les dossiers, la pépinière, il n'y avait pas mieux.

Delphine ne tarissait pas d'éloges sur le cousin providentiel, pas du genre à s'imposer, tu vois, un peu comme Lucas, très compétent et qui ne la ramène pas...

J'acceptai de le rencontrer et, au moment où je prononçai ces mots, le visage de Delphine s'épanouit. Elle semblait soulagée, ne me regardait plus de la même façon. J'allais devenir chef d'entreprise, une petite entreprise, certes, mais une entreprise tout de même. Elle saurait enfin comment me présenter à ses collègues de travail. À sa grand-mère. À ses parents. Nous allions franchir un pas. Ou le pas. À cette perspective, quelque chose se figea à l'intérieur de moi. Se durcit, peut-être. Il n'était plus question de reculer. Delphine était prête, et moi aussi, je crois que j'avais grandi. Les temps étaient venus de concrétiser – quelle drôle de façon de penser à tout ça, mais je dois le reconnaître, si stupide que cela puisse paraître aujourd'hui, c'est ce mot que j'employai alors en en parlant à Antoine : *concrétiser*. Rendre concret. Tangible. Assumé. Indiscutable. Et ce serait moi qui prendrais l'initiative des festivités.

*

Dix fois, je regarde ma montre. Delphine va bientôt arriver rue Ordener. Tout est propre, les chaussettes, le caleçon, en dessous aussi, pré-

117

puce, anus, le derrière des oreilles et même sous les couilles, récuré. Ça sonne, dernières vérifications dans le miroir de l'entrée (laisse, Zoé, je vais ouvrir), le verrou, une chaleur qui monte. C'est drôle, ma vie n'est déjà plus tout à fait à la même place, et pourtant mes gestes sont identiques. Est-ce bien Alexis Leriche qui ouvre doucement la porte, prêt à embrasser Delphine sur la bouche (c'est ce que j'ai prévu, pour marquer le coup) ? Oui, c'est bien lui, mais rien ne se passe comme je l'avais prévu. Je n'embrasse pas Delphine, ni sur les joues, ni sur la main, encore moins sur les lèvres, car ce n'est pas elle qui a sonné. Il y a un inconnu d'une trentaine d'années planté sur le palier, un bouquet d'anémones à la main. Il porte des mocassins cousus, c'est étrange, non, des mocassins marron glacé, avec un pantalon rouge brique. Je pense qu'il s'est trompé d'étage, c'est un malentendu, il appartient à une autre histoire, je vais le remettre sur le droit chemin, mais non. Il ne s'excuse pas, ne recule pas, n'a pas l'air surpris de me voir. Annonce d'une voix joviale que Delphine monte par l'escalier à cause de Jean-Paul qui ne supporte pas les ascenseurs. Jean-Paul, vous connaissez Jean-Paul, bien sûr, qui ne connaît pas Jean-Paul !

– Nous venons directement de chez le vétérinaire, explique-t-il. Jean-Paul a eu une crise d'asthme.

– Et vous êtes ?

Il n'eut pas le temps de se présenter, Delphine était à côté de lui, pas même essoufflée, le chat angora dans les bras.

– Vous avez fait connaissance ? Alexis, je te présente Julien Carsenti.

– Pardon ?

– Julien, tu sais bien, je t'en ai parlé la dernière fois. Il travaille à la pépinière d'entreprises. J'ai pensé que ce serait une bonne occasion pour vous rencontrer.

Plus question de cousin ni de mode de Bretagne. Carsenti me salue, puis se serre contre Delphine, comme si c'était la chose la plus naturelle au monde, et caresse Jean-Paul qui se met à ronronner – quel charmant tableau familial. Ce tiraillement, de nouveau, juste en dessous des côtes. Un bruit, derrière, je me retourne : Zoé s'avance vers nous. Elle s'est faite jolie. Dans le même miroir où je m'étais regardé quelques instants plus tôt, je la vois relever une mèche. Geste de coquetterie pour qui ? Julien Carsenti lui donne le bouquet, il trouve normal d'entrer, alors tout se met en branle, j'ai envie de l'éjecter, de lui casser la gueule, cogner, cogner et lui faire bouffer ses anémones en guise de dessert. Un cousin, c'est ça, je te crois, il va voir ce que j'ai dans le ventre. Le chat se met à tousser, une toux sèche et douloureuse. Il a du mal à respirer, ouvre grand la gueule dans un appel pathétique qui chasse ma colère. Il manque d'air, je manque d'air, le monde manque d'air. Je suis perdu, un instant, oui, je ne sais plus quoi faire. Comme je reste immobile, bras ballants, la petite Zoé passe devant moi pour accueillir les invités.

– Mais bien sûr, dit-elle à Delphine, tu as eu raison de venir avec Julien, bien sûr, c'est une bonne idée.

À sa façon de répéter « bien sûr », je sens que la présence de Julien l'embarrasse. Je regarde Delphine dans les yeux et, comme pour me protéger, ou me venger peut-être, je prends Zoé par les épaules et la tire contre moi. Elle se laisse faire, surprise et consentante, tourne la tête, sourit. Delphine comprend le message. Jean-Paul se remet à haleter, tout son corps se contracte, on dirait qu'il va vomir.

– Je suis désolée, dit Delphine d'un ton cassant, il va falloir qu'on retourne à la clinique, hein Juju ? Le vétérinaire nous a dit de repasser si ça ne se calmait pas, on va lui faire une piqûre de cortisone.

Juju, elle l'appelle Juju, et Juju approuve cette décision, il s'excuse, aurait bien aimé que nous discutions du *Paradis des voix*, un autre jour peut-être, c'est ça mon grand, c'est ça, et je sens mon sexe qui tiraille. La porte d'entrée se referme. Très vite, pour ne pas avoir à réfléchir, j'entraîne Zoé dans sa chambre, sur son lit. Il faut que je baise, que j'enfonce, que je me soulage, je ne peux pas rester dans cet état. En enlaçant Zoé, je pense à Delphine, les lèvres de Delphine, son cul de mec, ses décolletés plongeants. La voix de Zoé me ramène à la réalité.

– Ça devait bien arriver un jour, murmure-t-

elle, puis, juste à temps pour éviter la débandade, elle prend mon sexe dans sa bouche et le
tète comme une petite fille.

Tout va beaucoup trop vite, je vais jouir contre son palais, je ferme les yeux, je me laisse
emporter en gémissant à peine. Je ne veux pas
savoir. Le sommeil est à portée de main. Je suis
lessivé.

Quelques heures plus tard, je me réveillai au
côté de Zoé. Je la caressai lentement, pour me
rattraper sans doute, par fierté, pour ne pas
qu'elle aille dire à Delphine que j'étais un mauvais coup. J'aimais sa façon enfantine de se blot-
tir dans mes bras.

– Qu'est-ce que tu fabriques avec le drap ?

Zoé n'avait pas l'air de m'en vouloir, ni de
prendre tout ça trop au sérieux. J'en fus soulagé.

– Avec le drap ? Rien, pourquoi ?

Non, pas rien. J'essayais de cacher mes pieds.
Je ne voulais pas que Zoé les voie. Je ne marchais jamais pieds nus dans l'appartement, même
l'été. C'était une habitude que j'avais prise dans
mon enfance, nous devions toujours mettre des
pantoufles, à cause des épingles qui auraient pu
traîner par terre. Et puis je les trouvais vilains,
mes pieds, pas à la hauteur du reste de mon
corps. Les pouces trop courts, et qui rebiquent.
Les ongles striés. Celui du petit doigt, dédou-
blé. Et cette peau derrière le talon, cette corne
épaisse, jaune, craquelée – Louise disait que

j'avais des pieds de fumeur, ça m'amusait à l'époque, pourquoi étais-je devenu si pudique ? Zoé m'aida à tirer le drap et la couverture qui avaient glissé du lit, puis se rendormit. Je replongeai à mon tour dans le sommeil.

Vers huit heures, Zoé se leva pour aller préparer un café. Je m'habillai pendant qu'elle était dans la cuisine et descendis acheter une baguette fraîche et un journal. Baby Zoé aimait-elle les croissants ? La journée se déroula très simplement, beaucoup plus simplement que je ne l'aurais imaginé. Et les jours qui suivirent furent tout aussi fluides. Café, baguette fraîche, journal (elle n'aimait pas les croissants). Lecture de l'horoscope à voix haute. Plan de travail, bilan, vérification des comptes et des rendez-vous. Encore un café. Une petite caresse en passant. Je n'étais pas amoureux de Zoé, j'étais touché. C'était la première fois de ma vie que je ressentais ce genre d'émotion – mais n'avais-je pas pensé la même chose quand j'avais rencontré Louise ? Je n'arrivais pas à comprendre pourquoi Zoé avait prétendu que ça devait arriver un jour, entre nous. En avait-elle parlé avec Antoine ? Il me ressortirait exactement la même phrase quand je lui annoncerais que nous étions ensemble.

Être ensemble, oui, ça me convenait comme façon de décrire nos relations.

Antoine était content pour moi. N'eut pas la maladresse de me rappeler que j'avais essayé de les mettre à la colle tous les deux. L'avait-il oublié ? Non, Antoine est délicat, plus délicat que je ne le suis. Il me trouvait un peu nerveux quand je parlais de ma nouvelle vie, et pourtant non, je n'étais pas nerveux, juste fatigué. J'avais du mal à dormir. Il me raconta l'histoire de ce hibou captif qui se mangeait les ailes comme les humains se rongent les ongles. Impossible de chasser cette image de ma tête. Zoé Bernard me convenait, oui, nous nous convenions. Elle avait un grand avantage : elle ne pouvait pas avoir d'enfants. Je n'avais pas à surveiller sa prise de pilule, ni à essuyer de longues conversations autour de la maternité, la paternité, la descendance et tout le tintouin. Affaire réglée. Toujours ça de pris.

*

Pour en finir avec Jean-Paul : le chat de Delphine était allergique aux squames humains, ou humaines, je ne sais plus. J'appris à cette occasion qu'un individu perdait plus de dix grammes de peaux mortes par semaine, l'équivalent d'un petit sac de chips tous les mois (ce qui pouvait nourrir, au passage, des dizaines de millions d'acariens).

Un chat angora allergique à la peau des hommes, c'était le monde à l'envers. Rien ne se passait comme je l'avais prévu. Delphine s'éloignait. Corticoïdes, bronchodilatateurs, radiographies de la cage thoracique, anti-inflammatoires, nos conversations téléphoniques étaient pleines de termes qui rendaient difficile tout règlement de comptes amoureux. Mode de Bretagne ou pas, Carsenti se trouvait avec elle au chevet du chat. Ils habitaient ensemble tous les trois, rue Sedaine, c'était quasi officiel. Elle disait « nous » quand elle parlait de ses plans de week-end. Et moi, j'habitais officiellement rue Ordener, chez Zoé Bernard.

*

Le *Paradis* prospérait. J'avais acheté de nouveaux ordinateurs et entièrement réaménagé le bureau. Antoine s'était offert un appareil photo sur le compte de l'association, et Zoé un nouveau scooter vert prairie qui lui allait comme un gant. Je n'avais pas revu Delphine depuis sa visite avec Julien Carsenti. Je n'y tenais pas. Je faisais tout pour ne pas me retrouver en sa présence, annulant les dîners au dernier moment, laissant Antoine et Zoé se débrouiller avec elle, et finalement je leur avouai que je préférais ne plus la voir « pour l'instant » et « pour des raisons personnelles ». Ils n'eurent pas besoin que je leur fasse un dessin, et me protégèrent de Delphine avec une tranquille détermination. Je ne voulais plus la voir ? Soit, je ne la verrais plus. Enfin, c'est ce que je croyais. Le plan de circulation de chacun dans la ville en décida autrement.

Je rencontrai Delphine rue de Bretagne un jeudi de septembre, enfin rencontrer n'est pas le bon verbe puisque je me débrouillai pour qu'elle ne me voie pas. Ce que je faisais rue de Bretagne ? Je l'ai oublié. Ce que je n'ai pas oublié, c'est le choc que provoqua cette non-rencontre. Delphine était toujours aussi séduisante, plus séduisante, même, avec sa nouvelle coupe à la garçonne. Comment avais-je pu si facilement laisser Julien Carsenti s'imposer à ses côtés ? À croire que ça m'arrangeait. Delphine, les jambes de Delphine, ses fesses que l'on devinait sous son minikilt et ce léger rebond quand elle marchait – elle portait des bottes, comme toutes les filles cette rentrée-là, avec des chaussettes hautes qui dépassaient en guise de touche personnelle. On aurait dit qu'elle jouait dans un film érotique, qu'elle allait se baisser pour ramasser quelque chose par terre et découvrir sa petite, toute petite culotte, mais non, Delphine ne jouait pas, elle était comme ça, naturellement. Même quand elle s'habillait de façon classique, il y avait toujours un détail qui laissait à désirer. Ou la désirer. Une faille dans laquelle s'engouffrer, se précipiter, à la façon des liquides. Comment Delphine se comportait-elle au ministère ? Est-ce qu'on l'aimait pour ça ? Pour sa façon d'ouvrir un bouton de trop ? De tirer sur le bas de sa jupe ? Est-ce qu'on la méprisait, au contraire ? Certains devaient la trouver vulgaire. Certains devaient penser à elle en se laissant caresser par leur compagne. Ou leur compagnon. Delphine avait beaucoup de succès auprès des femmes. Elle leur faisait du charme comme elle en faisait aux hommes. Là encore, il faut comprendre que c'était sa manière à elle d'être, de se comporter. Même devant son chat, elle minaudait. Une seule fois à ma connaissance quelque chose de ce jeu s'était estompé. Nous dînions rue Ordener. Delphine était devenue plus calme au fil de la soirée, un peu triste même. Elle nous avait raconté qu'elle traversait cycliquement des périodes de grande fatigue. Alors, elle se faisait mettre en congé maladie et allait s'enfermer dans la villa de ses parents. Elle ne voyait personne pendant des jours et des jours.

J'avais repensé à mon état après la mort de maman. Ça ressemblait à ce qu'elle décrivait, ce besoin de répéter les mêmes gestes, de manger les mêmes aliments, et cette façon de ne plus supporter l'agitation du monde. Je me demandais si elle tolérerait ma présence pendant ces moments-là. Et si elle la tolérait, supporterais-je à mon tour son apathie ? Je l'imaginais dans un lit, très molle, très abattue, regardant d'un air absent la télévision, et moi lui apportant ses repas, l'habillant, la nettoyant. Elle se laisserait manipuler comme une poupée de chiffon. Sa mollesse m'exciterait, mais il ne faudrait pas que je le laisse apparaître, sinon elle prendrait peur, alors je me retiendrais, je garderais mon pantalon même la nuit, je me frotterais contre le rebord du lit, sur les oreillers. Si elle avait des peluches, car parfois dans mes rêves éveillés elle dormait dans sa chambre de petite fille avec un gros ours fatigué, je me branlerais contre lui, et au dernier moment, quand ce ne serait plus tenable, je sauterais sur Delphine, je l'obligerais à écarter les jambes, sous prétexte de la sortir de son état second. Delphine, Delphine, Delphine, Delphine… Mais pourquoi occupait-elle toujours mon esprit ? Je lui en voulais de m'inspirer des rêves si primaires.

Delphine et sa nouvelle coupe, son kilt court, ses chaussettes qui dépassaient des bottes, n'avait-elle pas aussi retouché la couleur de ses cheveux ? Elle poussa la porte d'un bistrot ordinaire. Carsenti était là qui l'attendait. Je fus tenté de rentrer, juste pour lui dire deux ou trois choses désagréables, mais au dernier moment changeai d'avis. La rage resta à l'intérieur, bien contenue. Je n'allais pas m'abaisser, me disais-je, à l'agresser en public. Je le trouvais petit, ce type, voilà le mot qui me vint à l'esprit en faisant l'amour avec Zoé ce soir-là. Petit, avec sa chemise à manches courtes un peu ridicule. Repassait-il lui-même ses affaires ? Le pli était marqué aux épaules, quel con. Dans la pénombre de la chambre, cernes marron, ventre qui tremble, je me surprenais à dire des mots que je n'avais pas prononcés depuis longtemps. Je traitais Zoé de salope, je lui demandais de faire sa pute, fais ta pute, je répétais, ça sortait de ma bouche comme un tic, une rengaine lointaine, et j'espérais qu'elle n'allait pas le prendre mal. Mais non, Zoé répondit à mon injonction, fit sa pute à sa façon, à quatre pattes présentant sa croupe. Cette fille était surprenante, à croire qu'elle avait suivi des cours. Je saisis ses hanches et les ramenai contre mon ventre en haletant, fort, très fort, jusqu'à mettre en péril le fragile équilibre car nos deux corps sont au bord du lit à force de bouter, ils vont tomber, ils tombent et se raccrochant l'un à l'autre poursuivent sur le tapis leur étrange navigation. En basculant, Zoé éclate de rire, et moi je débande, c'est gagné. Zoé rit encore quand elle s'en aperçoit, elle ne devrait pas. Ce n'est pas drôle, elle sait qu'elle fait une erreur en riant, mais ça la dépasse, elle ne peut pas s'en empêcher. Je regarde mon sexe flapi et lui donne des baffes, oui, c'est tout ce qu'il mérite, ce sexe mou, ce sexe flageolant que je gâche maintenant en le traitant de tous les noms à son tour (rires encore de Zoé), et gâche comme on gâche un mortier pour qu'il reprenne consistance, s'érige, et que ça reparte, fais ta pute, en un seul mot, faistapute point com, pourquoi tu te marres, ce n'est pas drôle, pas drôle, l'objet tarde à durcir alors entre ses lèvres Baby Zoé le prend comme on reprend la main – personne n'aime se sentir inutile, et quand elle me voyait m'exciter tout seul, comme ça, elle en aurait pleuré, me raconterait-elle plus tard. Alors pourquoi riait-elle ? À force de salive et de langue, et de menton fantôme, et de joue qui gonfle et se creuse, le voilà qui regagne sa forme conquérante. Il veut aller au fond de la gorge, buter, cogner. Être empêché et forcer le passage, voilà qui fait partie du plaisir. On entend de l'eau qui coule, ce doit être la voisine. Nous l'avons réveillée. Je suis sûr qu'elle va se branler en nous écoutant. Mes yeux sont à demi ouverts, je vois la lumière entre les cils, les ombres, les couleurs et les plans. Je froisse les cheveux de Zoé, les regroupe maintenant au-dessus de sa tête, une queue-de-cheval haut perchée que je tire et détends au rythme de la fellation. Les saisons font la ronde autour de nous, à droite le printemps et l'été, à gauche, c'est l'hiver. Nous sommes en automne, au tout début de l'automne, l'air est encore doux. Les fenêtres de la chambre sont ouvertes, et les rideaux aussi, ouverts. Il n'y a pas de vis-à-vis, juste un mur aveugle, je l'ai déjà dit je crois, mais s'il y avait des fenêtres en face on pourrait nous surprendre. Cette idée me plaît, cette idée d'être vu dans cette position, et ça repart, les clichés, les projections, Delphine, le minikilt qui se soulève, le soutien-gorge trop petit, la chair comprimée, les manches courtes de Julien Carsenti, ses bras sont très poilus, je lui file un coup de poing dans le ventre et Delphine me saute dessus. Éjaculation. Sommeil.

Le lendemain, je trouvai chez un brocanteur une mappemonde lumineuse en verre montée sur un socle de bois précieux. Je la fis emballer avec soin et l'offris à Baby Zoé. Je compris que je commençais à m'attacher à elle et, peut-être même, à l'aimer.

V

Devant l'insistance d'Antoine, je me forçai à reprendre contact avec mon père. Le premier coup de fil fut un peu froid, sans doute m'en voulait-il de ne pas lui avoir donné de nouvelles depuis si longtemps. Il me proposa que nous déjeunions ensemble la prochaine fois qu'il descendrait à Paris – j'acceptai, à une condition : qu'il ne me parle pas de sa nouvelle famille, par respect pour maman. Je ne tenais pas à connaître sa femme. Ni sa fille, Léonie, même si elle était ma demi-sœur.

– Tu te rends compte, disait mon père au téléphone, volubile soudain, l'autre jour, je l'ai accompagnée à la piscine, et j'ai vu…

– Papa…

Je le retrouvai quelques semaines plus tard dans un restaurant près de la porte de Pantin. Il insista pour m'inviter, et ne reparla plus de Léonie (au passage, je ne me souviens pas que mon père soit jamais venu avec moi à la piscine, et j'en éprouvais de la peine, rétrospectivement).

À la fin du repas, il avait évoqué ces « troubles auditifs » dont je souffrais à l'école primaire, puisqu'il fallait parler en ces termes de mes oreilles remarquables. Sa curiosité m'avait étonné. Il voulait savoir d'où venait cette maladie, si on en connaissait mieux les causes aujourd'hui, si elle pouvait être provoquée par un choc ou un accident.

Pourquoi parlait-il d'accident ? Allais-je apprendre que j'étais tombé d'une balançoire quand j'étais petit ? Autre chose ? Bien autre chose ? M'étais-je retrouvé au centre d'une bagarre entre mes parents, avais-je reçu un coup mal placé ? D'après le médecin, j'étais un patient atypique, mon affection ne se manifestant que par périodes, et sur des types de sons bien particuliers. Par exemple, il ne comprenait pas comment mes troubles avaient pu s'estomper d'eux-mêmes, alors qu'ils auraient dû s'aggraver – porter des protections auditives étant, de l'avis des spécialistes, fortement contre-indiqué. J'avais tout fait pour ne pas guérir, et j'étais guéri, au moins provisoirement. J'étais un cas exceptionnel. Un cas singulier. Un cas.

– Ah ! Ah ! Un cas ! Magnifique !

Mon père me tapa sur l'épaule, comme pour dire qu'entre cas on se comprenait. Il me félicita de m'en être sorti tout seul. Il était fier de moi, fier de son fils aîné. Lui qui travaillait du matin au soir dans et avec des corps (des corps d'animaux, mais des corps tout de même) se méfiait de la médecine. Nous portions en nous, affirmait-il, tout ce qu'il fallait pour nous soigner. Les médicaments ne faisaient que déplacer les problèmes en écrasant au passage nos capacités naturelles à nous défendre. Comment pouvait-il être si sûr de lui ? Je le revoyais à la boucherie, la main gauche plaquée sur le cul du jambon, disant à une cliente particulièrement exigeante : « Le persillé d'une viande est le garant de sa jutosité. »

Jutosité, où avait-il été chercher ce mot ? Il avait trop de salive dans la bouche, *jutosité*, quel phénomène. Sa voix de miel dans son corps si puissant, voilà qui marquait les esprits. Ce décalage. Cette anomalie. La cliente était devenue une fidèle de la boucherie. Mon père avait l'habitude de gagner, que cela soit bien clair, mon père a toujours tout raflé, même quand il perdait en apparence. À l'enterrement de maman, la plus grosse gerbe, c'était lui. Et la plus belle déclaration d'amour en lettres d'or, sur le ruban. Il a gagné aussi parce que maman l'aima jusqu'au bout. C'était à pleurer, cette façon qu'elle avait de tout lui pardonner. Je la revois dans son lit d'hôpital, sa petite tête chiffonnée. Ton père, il faut le prendre comme il est. Ton père, c'est ton père, il est d'un bois spécial. On ne peut pas lui en vouloir, à ton père. On ne peut pas.

– Et pourquoi on ne pourrait pas ?

Je m'étais ramassé un regard noir, comme si j'étais le dernier des imbéciles. On ne pouvait pas lui en vouloir, un point, c'est tout.

Il a gagné au Loto aussi, alors qu'il jouait rarement. Pas une somme énorme, mais pas rien non plus. Il était rentré à la maison en déclarant qu'il avait le cul bordé de nouilles, c'était la première fois que j'entendais l'expression. Le plus incroyable, c'est que maman avait éclaté de rire, qu'elle l'avait embrassé tendrement, elle qui détestait la vulgarité. Oui, mon père a toujours gagné, et ce jour-là encore, quand il me prit dans ses bras à la fin du repas, c'est lui qui remporta le gros lot. J'avais tellement besoin de lui. Tellement besoin de son soutien.

La semaine qui suivit notre déjeuner, il m'envoya un livre sur le fonctionnement de l'oreille. Cette marque d'attention me toucha plus que de raison. Je passai la journée à le lire, enfermé dans mon bureau, comme s'il s'agissait d'une lettre personnelle. Des mots, à moi seul adressés. D'après l'auteur, le cerveau en son entier était mis à contribution lors de l'audition d'une musique, et pas seulement une partie bien localisée comme pour la vision. On pouvait faire écouter à quelqu'un les résonances d'une note de piano et son cerveau, mobilisé de toutes parts, percevait avec certitude la note absente. Il la recomposait, et elle devenait tout aussi réelle que si elle avait été jouée. Je fis le lien immédiatement avec l'odeur de viande. Ainsi, quand nous étions en vacances, il me suffisait d'entendre la voix de mon père pour que mes neurones déclenchent la sensation olfactive, qui provoquait à son tour une légère nausée. De la même façon, on pouvait dire que mon attraction pour Delphine n'était qu'une chaîne de souvenirs et de perceptions qui rebondissaient les uns sur les autres jusqu'à créer un état physiologique particulier. Ni amour ni attachement affectif, même si, certains jours, ça y ressemblait. Il s'agissait d'un leurre, en somme, une illusion facile à démonter. C'était ainsi. Marqué. Il fallait oublier. Déprogrammer. Se défaire des résonances pour enfin vivre au-delà des apparences. Et ce n'était pas forcément une perspective réjouissante.

*

De cet air enfantin qu'elle adoptait quand elle parlait de nous, Zoé me remerciait de l'avoir prise sous mon aile. Je ne méritais pas de tels compliments. Certes, je l'aidais à grandir, ou tout du moins c'était le but que je m'étais fixé, mais n'était-ce pas une attitude purement égoïste ? Quand on achète une maison, on la repeint, on la meuble, on cherche à l'améliorer dans la mesure de ses moyens. Avec Zoé, je ne faisais pas autre chose, je le comprends aujourd'hui : je l'aménageais pour qu'elle réponde au mieux à mes besoins personnels et à ceux, plus collectifs, du *Paradis des voix*. C'est dans cette perspective que j'avais décidé de lui offrir des études dignes de ce nom. Ainsi, le dernier vendredi d'un mois d'août caniculaire, Zoé quitta-t-elle définitivement son boulot au cabinet médical pour suivre une formation en comptabilité et gestion des entreprises. Il aurait été plus simple et surtout plus rapide de s'appuyer sur les connaissances de Julien Carsenti, mais il n'était pas question que je me laisse aider par ce jeune et gentil animateur de pépinière. Pas question non plus de rembourser Delphine (ce qu'il m'aurait sans doute suggéré de faire pour partir sur des bases solides). Je voulais maintenir cette dette entre nous, comme ça j'étais sûr qu'elle ne pourrait jamais se détacher de moi complètement. Qu'elle m'écrirait de temps à autre, qu'elle m'inviterait à dîner ou au moins me ferait suivre son nouveau numéro quand elle changerait de téléphone. Je sentais bien que si nous n'avions plus cela entre nous, ce lien d'argent, Delphine serait capable de me laisser tomber, comme on bazarde un vieux poster affiché trop longtemps dans sa chambre d'adolescent. Même si on y reste attaché, on le trouve ridicule – on se trouve ridicule de l'avoir tant aimé. Et puis il a jauni. Aux coins, il est déchiré.

Ai-je jauni ? Suis-je un peu déchiré ?

Si je voulais oublier Delphine, ou tout du moins la tenir à distance, il n'était pas question que Delphine, elle, m'oublie. Pour tenir quelqu'un à distance, il faut bien que cette personne soit là. Loin, mais présente. Qu'elle s'en aille et on ne tient plus rien, ni tout court ni à distance. On la perd. On est perdu, tout seul au bout de l'élastique.

Et bientôt l'on fêta le premier anniversaire de la création du *Paradis*. Lucas s'occupait maintenant du site et des enregistrements, ce qui me laissait du temps pour partir à la chasse aux voix. Et heureusement que j'avais ça, comme des trous dans le calot, cette possibilité de m'évaporer, car chez Zoé c'était la surchauffe. Nous avions à présent un stagiaire et deux employés à mi-temps déclarés, Lucas, donc, et Yanis, dit Yaya, passionné de littérature nippone. Chaque coin de l'appartement était occupé, il n'y avait plus que la chambre, la salle de bains et la cuisine avec sa table bancale que nous avions réussi à garder pour notre usage personnel. Et encore, tous les jours vers sept heures du soir, la cuisine était investie par la petite troupe. C'était l'apéro. Drôle de mot, a-pé-ro, disait Yaya. Comme numé-ro, aï-ki-do, et de remplir nos verres, et de vider le sien. Ça buvait pas mal dans l'équipe – une bière par-ci, une bière par-là, le vin blanc et, les jours où l'on signait de nouveaux contrats, le champagne offert par la maison. Zoé en avait fait rentrer trois caisses, aux frais du *Paradis*. Un rosé à bulles très fines que tout le monde trouvait délicieux – il est délicieux, tu ne trouves pas ? Il fallait toujours que Zoé pose la question. Elle avait installé la mappemonde sur le buffet, près de l'endroit où s'empilaient les torchons. Souvent, je la surprenais en train de boire un petit verre, même quand les autres

étaient partis. Elle restait là longtemps, hypnoti-
sée par les pays qui défilaient sous ses doigts, des
pays qui parfois n'existaient même plus. Elle
aimait bien toucher le monde, et moi, ça m'agaçait de la voir ainsi, perdue dans ses rêves.

Être irrité, ressentir de l'agacement, voire une
légère exaspération, c'était nouveau. Il m'arrivait d'être en colère, ou abattu, ou agressif, ou
absent, mais irrité je n'ai pas l'impression de
l'avoir été avant de vivre en couple. Et pourtant,
Baby Zoé était d'une patience d'ange avec moi.
La seule chose qui pouvait la desservir était son
manque de confiance en elle-même. Son menton fuyant était-il responsable de l'anxiété qui
la saisissait chaque fois qu'elle devait prendre
une décision ? Il faut bien l'avouer, si j'ai mis si
longtemps à considérer Zoé comme une partenaire potentielle, c'était à cause de ce foutu
menton. Mais les années passant, ma percep-
tion avait changé. Je crois même qu'il me plaisait. Ou plus exactement, la position de la langue
qu'imposait son retrait, et l'interstice perma-
nent entre les lèvres de Zoé, toujours prêt à
être élargi, forcé, oui, ça m'excitait.

Comment dit-on le contraire de prognathe ?
Antegnathe ? Rétrognathe ? Il existe des chirur-
giens qui proposent d'opérer les mâchoires
trop ceci, trop cela, soi-disant disgracieuses, mais
disgracieuses par rapport à quoi ? Je n'irais pas
jusqu'à penser, comme je l'ai prétendu un jour
au restaurant pour faire plaisir à Zoé, que
c'était l'endroit qui me touchait le plus en elle,

mais il y avait une part de vérité dans ce drôle de compliment. Elle avait rougi jusqu'aux oreilles, et le serveur, témoin de ma déclaration, avait abondé dans mon sens. Quel faux cul. L'endroit que je préférais chez Zoé, en vérité ? Ses jambes, je crois, fines et bien dessinées ; ses fesses aussi, très haut perchées et d'une rondeur inattendue. Zoé était moins sexy que Louise (et que Delphine, bien sûr, Delphine était hors compétition), mais la jouissance qu'elle m'offrait était d'une autre qualité, plus profonde, plus installée. Son manque d'assurance me rassurait, elle me donnait confiance en elle, comme me donnait confiance la timidité de Lucas. Je savais que Zoé n'irait pas chercher un cousin à la mode de Bretagne pour me rendre jaloux, je savais qu'elle se mettrait en quatre pour le *Paradis*, je savais qu'elle n'avait pas une once de perversité en elle. Ses chaussures étaient souvent à talons, mais de tout petits talons. Elle portait des foulards indiens autour du cou. Sinon, que dire de sa façon de s'habiller ? Ce n'était pas vraiment réussi, même quand elle s'appliquait. Surtout quand elle s'appliquait. Elle avait très vite l'air déguisée, et je la préférais avec son jean étroit et son tee-shirt acheté au rayon fillette que dans des habits plus sophistiqués. Il m'arrivait souvent de douter de notre relation. Et puis un matin, nous étions au lit, quelque chose s'était passé. Ou plus exactement, quelque chose s'était révélé. Pour la première fois depuis que nous nous connaissions, j'avais remarqué que Zoé ressemblait à la jeune fille à la perle du tableau de Vermeer – cette jeune fille qui trônait sur l'affiche que mes parents avaient punaisée sur la porte des toilettes. Je l'avais regardé souvent, ce portrait, longtemps, mais ce n'était qu'aujourd'hui, alors que Zoé dormait à mes côtés, que la ressemblance me sautait aux yeux, et ce fut comme une fenêtre qui s'ouvrait en moi. Une sensation très simple, très naïve. La main de Zoé était posée sur le repli du drap, abandonnée, dans un mouvement si gracieux que je me dis qu'au fond, une main comme celle-ci, je me sentais capable de la demander.

Souvent je raconterais cette histoire : la jeune fille à la perle, la main de Zoé sur le coton bleu, la révélation enfin, l'évidence, comme si un grand vent avait balayé dans la nuit toutes mes appréhensions. Les gens aimaient bien ce genre de récit. Nous faisions des envieux. Il y avait quelque chose de plaisant, sans doute, à nous voir ensemble. Elle si menue, et moi grand, carré, l'idéal masculin en somme, même si ce qualificatif me paraissait stupide et fort peu adapté à mon caractère. Quand Zoé s'était réveillée, je lui avais fait part de mon désir. Mon désir tout court. Et mon désir de l'épouser. La journée se passa sur un petit nuage. À l'heure de l'apéro, j'annonçai que nous allions nous marier. Zoé était assise sur un tabouret haut, près de sa mappemonde, elle avait ri, ou souri, je ne sais plus, elle avait l'air heureuse.

– Et pour la *honeymoon* ? avait demandé Lucas, un peu éméché sans doute. Vous irez où, pour votre *honeymoon* ?

Zoé lança la mappemonde, ferma les yeux, et pointa un lieu au hasard. Son index atterrit au milieu de l'océan.

– À l'eau, le voyage de noces, commenta Yaya.

Zoé répéta l'expérience, une fois, deux fois, trois fois, jusqu'à tomber quelque part au Brésil je crois, ou au Mexique, j'ai oublié. Lucas resservit à boire, on parlait déjà d'autre chose, de ce nouveau contrat qui se profilait avec une marque de cosmétique. De toute évidence, il n'était pas question que nous partions en voyage, ce n'était pas le moment. Le *Paradis* avait besoin de nous, et, plus intimement, nous avions besoin du *Paradis* pour « sécuriser notre couple », comme nous l'avions lu dans l'horoscope le matin même : « Taureau, avant d'acheter vos billets d'avion, sécurisez votre couple ! Et n'oubliez pas les points capitons de toute relation sentimentale : aller de l'avant sans brûler les étapes ! »

Les points capitons de la relation, comme des fossettes creusées dans les heures partagées… J'imaginai des mots reliés par une corde qui passait par nos deux nombrils. Le mot construction, le mot patience, les mots jouissance, timbre, vibration, et les gestes qui vont avec. Les mots irritation, cadeau, poils dans la douche, silence et nid-d'abeilles. Articulation. Secret. Ronflements (il paraît que je ronfle, Zoé est la première à le dire, mais il est vrai qu'avant de la rencontrer je n'avais jamais vraiment dormi avec une femme, juste couché).

*

On peut croire qu'il suffit d'être deux, mais non : pour se marier, il faut être cinq, au grand minimum. Cinq comme les cinq doigts de la main, l'annulaire dressé en guise de… Mais en guise de quoi ? De porte-bague ? En russe comme en japonais, c'est Yanis qui l'affirme, l'annulaire est appelé le *doigt sans nom*. Il y a cette image qui était là au tout début, et me revient souvent à l'esprit, celle du monde que l'on saisit par un coin, comme un foulard de soie, et que l'on tire, tire, jusqu'à le faire passer tout entier dans un anneau magique, ou le chas d'une aiguille, selon les jours et leurs complications. Était-ce cela qui allait nous arriver ? Allions-nous devoir baisser le front, courber l'échine, changer ? Je n'en voyais pas la nécessité, tout continuerait comme avant – et en effet, avec Zoé, dans les premiers temps, tout continua comme avant, à part cette ligne jaune et brillante qui barrait nos doigts sans nom. Je n'avais pas lésiné sur le prix des alliances. Chez un bijoutier du Marais, on regarde la vitrine, on sonne, on entre, on pointe, on mesure les doigts et hop ! en liquide, pas de discussion, pas de on reviendra plus tard. J'achète, cash. Plus facile d'être généreux quand il s'agit de grosses sommes, c'est dans les dépenses quotidiennes que je mégote encore parfois, sans raison apparente. Pourtant, je suis riche, enfin presque riche car, au fond, je ne possède rien. Dès que ça dépasse un certain seuil, la somme devient abstraite, alors dix-huit, vingt-deux, vingt-quatre carats, je peux bien nous offrir les alliances les plus chères du magasin, même si Zoé se tortille, tu es sûr, on ne ferait pas mieux de, et si nous…

Le bijoutier tâte les billets, lui aussi semble embarrassé, il prend un air d'égouttoir à vaisselle, très droit, très pratique, prématurément vieilli. Sa peau écaillée, son air suspendu, à quoi penses-tu mon loulou ? Petits mouvements des coudes : il disparaît dans l'arrière-boutique avec l'argent, puis revient quelques minutes plus tard les mains vides. Il est rassuré. A vérifié la validité des billets de banque. Nous souhaite un beau mariage.

Zoé se blottit contre moi, je la sens qui tremble un peu. Je passe mon bras autour de ses épaules d'un geste protecteur. Je n'aurai jamais d'enfant, à part Zoé, voilà ce que je pensai en sortant de la bijouterie. Jamais, et ce sera bien comme ça.

Nous n'étions pas nombreux à la mairie : les deux témoins (Delphine et Antoine), l'adjoint au maire, et nous. Zoé avait insisté pour que Delphine soit son témoin, je ne le voulais pas au début, il n'en était pas question. Et puis j'avais cédé, sous prétexte que mon opposition aurait pu inquiéter Zoé. Nous n'avions pas jugé nécessaire d'inviter Yanis et Lucas, la cérémonie se déroulerait dans la plus stricte intimité. Aujourd'hui, je le regrette, comme je regrette de ne pas avoir prévenu mon père, mais, si nous l'avions fait, il aurait fallu convier également la famille de Zoé avec qui elle était plus ou moins brouillée, et mon frère, et Louise, et leurs enfants, les nourrir, les loger, on n'en sortait plus. Nous étions cinq, donc, dont quatre seulement sur leur trente et un. Tout le monde s'était endimanché, sauf moi. J'avais gardé ma panoplie habituelle, je ne sais plus ce que j'avais trouvé comme prétexte pour ne pas me changer, enfin Baby Zoé s'était sentie un peu seule dans sa robe bleu ciel. Heureusement elle avait son imper de tous les jours pour sortir dans la rue. Delphine avait fait du Delphine, chemisier blanc largement déboutonné et jupe en cuir moulante, les bottes, la besace fourre-tout, en cuir elle aussi, mais moins épais sans doute, et plus mou, quant à Antoine (pauvre Antoine tout ampoulé), il avait acheté un costume pour l'occasion et, quand je le vis arriver avec sa cravate et son ourlet respirant le neuf, les larmes me vinrent aux yeux. Nous nous étions retrouvés deux heures avant au Café de la Mairie, histoire de boire un dernier verre entre célibataires, et c'est un peu flottants que nous entrerions dans le salon de réception.

Il n'y a rien à raconter de ce mariage, ce fut une aimable mascarade où le grand perdant, ce serait moi. Delphine battait des cils, Antoine me regardait avec affection, il y croyait, et moi aussi j'y croyais un peu, même si j'avais la trouille, quant à Zoé, elle racontait encore récemment que ce jour avait été le plus beau de sa vie – mais son récit s'arrêtait là, tout coincé qu'il était dans son rêve de petite fille.

Un homme élégant était venu s'asseoir pendant le discours de l'adjoint, un habitué peut-être, qui assistait aux mariages comme on va au théâtre. Il dut être déçu, pas de pot à la sortie, ni riz ni pétales, comme on dit pour les enterrements ni fleurs ni couronnes. Avait-il remarqué que je m'étais raclé la gorge au moment de dire « oui » ? Que ce « oui » était prononcé de façon particulière ? Pour surmonter ma gêne (car j'étais gêné de ne pas être habillé, évidemment, j'étais le premier à en souffrir), j'avais affiché pendant toute la cérémonie un sourire à peu près droit, en me concentrant pour qu'il ne parte pas sur le côté (ton ric-tus, répétait maman de là-haut, attention à ton ric-tus !) ; sur les photos, on le voyait, cet effort, comment pouvais-je être si transparent ? Je suis en train de me marier, et je me dis pour me donner du courage : il n'y a pas mort d'homme, il n'y a pas mort d'homme, je répète ça comme un mantra.

Le moment de l'acquiescement, celui que l'on retient entre tous en pareille circonstance, je dois y revenir : le visage de Zoé, gracile, éperdu de reconnaissance, plus vermeerien que jamais, et mes yeux faisant le point, parfois sa bouche devenait floue, il me suffisait de cligner des yeux, elle reprenait ses contours. Oui. Il fallait bien le prononcer, ce mot, sans agressivité, plus moyen d'y échapper, quand soudain je sus que je ne le dirais pas. J'en dirais un autre qui me touchait de près.

Le mariage n'est-il pas une question d'entente ? De bonne entente ?

L'adjoint, après avoir rappelé les droits et devoirs de chacun des mariés, me posa la question rituelle, monsieur Alexis Leriche, voulez-vous prendre pour épouse…, et Alexis Leriche répondit « ouïe », je peux l'avouer aujourd'hui, comme un gamin fier de son entourloupe, *ouïe*, en séparant bien le *ou* et le *i*, et j'avais envie d'applaudir tellement j'étais soulagé de ne pas avoir prononcé l'affirmation sans appel. Zoé me tendit sa jolie main d'enfant, je lui enfilai l'alliance, ça ne bloquait pas, son doigt n'avait pas gonflé, grossi, doublé de volume comme dans les cauchemars, tout se passait au mieux, ce n'était pas ma faute s'il manquait une ampoule au lustre de la mairie. Personne ne s'était rendu compte de la supercherie, et la larme sur la joue de Zoé me toucha comme jamais une larme ne m'avait touché. J'étais soulagé de ressentir quelque chose qui ressemblait à de l'émotion, enfin, et en même temps je ne comprenais pas ce qui m'arrivait, ou plutôt, avec ma manie de tout décortiquer, je le comprenais de travers. Il y avait à deux pas de nous la femme que je désirais le plus au monde, Delphine, et c'était avec son accord que j'épousais sa meilleure amie. La voilà qui sortait son stylo personnel pour signer les registres, ce stylo élégant qu'elle avait utilisé pour remplir le chèque qui nous tenait liés. La voilà qui venait nous serrer tous les deux dans ses bras. Illusion d'harmonie, simulacre ? Non, je tiens à le souligner, ma démarche était sincère. Je vivais avec Zoé, ça, c'était la réalité, notre réalité. Nous nous entendions bien. Elle m'aidait beaucoup et je l'aidais aussi, à ma façon. Nous nous complétions. Delphine n'aurait jamais supporté ce genre d'existence.

– Tu as fait le bon choix, me glissa Antoine en sortant.

Le bon choix, comme si je venais d'acheter une nouvelle voiture. Je repensai à son voisin qui vendait des cuisines intégrées. Était-il toujours en contact avec lui ? Antoine acquiesça. Avait-il réussi ? Oui, il avait réussi, très bien réussi, même. Je me tournai vers Zoé. Son Rimmel avait un peu coulé, c'était mignon, pas du tout symétrique. Je n'avais pas l'habitude de la voir maquillée.

– Et si, pour marquer le coup, on réaménageait la cuisine ? lui proposai-je.

Elle ne devait pas comprendre pourquoi je parlais de la cuisine, soudain, sur les marches de la mairie. J'avais réservé une table dans un restaurant non loin de là. Je ne me souviens plus du menu, mais je crois que la nourriture était correcte. En rentrant chez Zoé, enfin, chez nous, rue Ordener, je fus pris d'une crise de bâillements, ainsi commença la vie conjugale. L'une tirant sur le bas de sa robe bleu ciel, et l'autre bâillant en délaçant ses chaussures. Il les balance dans le couloir, enlève ses chaussettes, se dit qu'il devrait se couper les ongles – il n'a plus honte de montrer ses pieds. Elle, toujours en chaussures, retirant les pinces de ses cheveux. Les deux debout près du réfrigérateur, se servant un dernier verre. Alors, on ne sait pas pourquoi, l'énergie qui remonte en imaginant les travaux, et ce fut le moment le plus heureux de la journée. Baby Zoé veut un grand four à micro-ondes, ce serait commode pour réchauffer les plats tout préparés qu'elle achetait lorsque l'équipe du *Paradis* mangeait sur place. Le four à micro-ondes, il est archi pour. Et le réfrigérateur, avec congélateur intégré, d'une belle couleur franche, il n'y aurait plus qu'à appuyer sur un bouton pour obtenir des glaçons. Et la table, une nouvelle table, avec des rallonges. En bois. Bien solide.

– Tu ne l'aimes pas, ma table ?

Mais si, bien sûr, il l'aime, mais elle est bancale. Il se revoyait à quatre pattes, un ticket de métro à la main, essayant de la caler et les jambes de Delphine tout près de son visage, Delphine qui, à la mairie, n'avait pas pu s'empêcher de lui faire un clin d'œil avant de signer le registre. Et lui, qu'avait-il répondu ? Zoé pointe du doigt le placard à vaisselle, et il dit oui cette fois, pas *ouïe*, oui au démantèlement radical des meubles de rangement ! Il repense à sa mère, à cette bibliothèque qu'elle avait installée à la place de la penderie paternelle, juste après avoir eu confirmation de sa maladie. Une panique le saisit, c'est idiot, il sait que c'est idiot : et si Zoé avait un cancer ? Elle ne comprend pas pourquoi il change de ton, pourquoi il lui demande si elle est bien suivie, si elle a déjà passé une mammographie, elle est même étonnée qu'il connaisse le mot, mammographie, mammo, mais Zoé, nous vivons dans le même monde, un monde où l'on opère, où l'on dépiste, où l'on pratique des frottis, des séances de rayons et de chimiothérapie. Tu te souviens de cette photo de ma mère avec son turban ? C'était avant qu'elle n'achète sa perruque. Des mois à l'hôpital. Zoé acquiesce. Je la serre dans mes bras, ma petite fille chérie, je ne veux pas qu'elle meure, je ne supporte pas l'idée qu'elle soit malade, qu'on me l'arrache, et Delphine peut faire toutes les minauderies du monde jamais je n'oublierai la façon dont Zoé, ce soir-là, le soir de notre mariage, se laissa prendre par le cul pour la première fois.

VI

Les jointures blanchies à force de serrer la poignée, je traîne la valise de Zoé sur un quai surpeuplé de la gare de Lyon. Je dois être fatigué, c'est ça, je n'ai pas assez dormi, je suis tendu. Trop de nouveaux contrats depuis l'hiver, trop de marchés conquis, de voix à enregistrer, de clients à satisfaire. Zoé tient mieux le choc que moi, heureuse nature, la seule perspective de quitter Paris lui donne bonne mine. Nous ne partons pas en voyage pourtant, juste en week-end pour fêter nos anniversaires.

Gentil, non ?

Si j'ai appris une chose depuis que nous sommes mariés, c'est bien cela : il faut nourrir la vie conjugale comme on nourrit un chien. Lui donner régulièrement un os à ronger – en l'occurrence deux jours au bord de la mer. Être amoureux, la belle histoire. Si l'enfance existe (j'y reviens, ça me tracasse), elle est peut-être là, à tous les âges, accrochée comme une huître à son rocher. On veut croire à la perle, au moins l'imaginer. Jouer le plus longtemps possible à colin-maillard. Comment expliquer cet attrait pour l'échec programmé ? C'est l'amour qui gâche l'amour, voilà ce qu'il faudrait enseigner aux jeunes filles. L'aveuglement par la lumière, les châteaux en Espagne et les contes de fées.

Sommes-nous plus malins que les autres ? Je me revois traînant le cadeau d'anniversaire de Zoé (une valise violette), j'y reviens, pour échapper à l'engourdissement domestique et Chérie marche devant moi, les billets de train à la main. Elle porte une veste cintrée sur son jean cigarette. La cuisine n'a toujours pas été aménagée. Nous en parlons les jours de pluie. Ça nous requinque, l'électroménager.

Nous avons maintenant trois stagiaires, en plus des deux permanents, il n'est plus question de travailler ni de manger tous à la maison. J'ai trouvé des locaux dans l'immeuble d'en face, celui du mur aveugle. Depuis qu'elle a fini ses études, Zoé y occupe le plus grand bureau. Elle gère l'agence de main de maître. Je lui laisse beaucoup de responsabilités, et je sais aujourd'hui pourquoi : je n'aime pas les responsabilités, j'aime le pouvoir. C'est beaucoup moins encombrant. Il ne m'est pas désagréable de sentir un comédien ramper devant moi pour obtenir un contrat, parce qu'il en a vraiment besoin. Il sourit, se recoiffe machinalement, on sent la peur qui monte quand je lui demande de lire le Bottin.

– J'aimerais entendre votre voix, détachée de toute perspective émotionnelle.

Le candidat s'exécute, il déroule les noms. Quand il lève les yeux, je regarde ailleurs pour le déstabiliser, un dossier, mon téléphone portable, une poussière sur le clavier – je suis ignoble.

Je suis ignoble, mais je ne suis pas salaud, je lui refile le job et refuse tout remerciement. Prends, et pars en courant, ventre à terre, avant que je ne change d'avis. Moi aussi j'ai connu les économies de chauffage et les sandwichs en promo. J'ai connu les dettes paternelles, les barquettes périmées, la salle d'attente de l'hôpital et aucun week-end au bord de la mer, si réussi soit-il, ne me les fera oublier. Pars, j'ai dit, et réjouis-toi d'avoir ta place au *Paradis*. Même si tu ne reviens pas le jour de l'enregistrement, tu seras payé, oui, voilà ce que je te propose : ne viens pas, ne reviens jamais. Je n'en ai rien à faire de cet argent. Il est à toi, gratuit. Candidat suivant ?

Ils sont une bonne dizaine à attendre que je les reçoive. Un homme s'avance, majestueux, gorgé de lui-même. C'est pour moi que tu t'es habillé aussi bien, mon gros lapin ? Quelle importance, ton look, ta mise, ton allure ? Au *Paradis*, c'est du rêve pour les oreilles que l'on vend, pas des images pour les yeux. Je feuillette rapidement son book, il étale ses multiples projets, au théâtre, au cinéma, je ne sais quoi encore. Pourquoi lui donner du travail s'il en a déjà ? Sa voix ressemble exactement à ce que l'on attend d'elle, avec juste ce qu'il faut de grain, juste ce qu'il faut d'effet après la virgule. Une voix qui s'écoute parler. Le comédien déroule ses disponibilités. Je lui conseille de revenir nous voir quand il aura passé une nuit blanche, crié de honte, de peur, de haine, peu importe : quand sa voix aura vécu, on pourra refaire un essai. L'homme rebrousse chemin, drapé dans son CV façon empereur romain. Rien n'a bougé dans son visage, j'admire sa retenue et son sens de l'honneur. Il doit penser que je suis un gros plouc. Ah ! Ah ! Quel imbécile. Antoine prétend que je me suis durci, mais non, j'ai toujours été comme ça, seulement avant je n'avais pas les moyens d'exercer mon sale caractère.

Toi et ton sale caractère. Qui prononçait ces mots ? Pas maman, ce n'était pas son genre. Ni mon frère, petite chose. Mon père ? Sans doute. Toi et ton sale caractère, ton caractère de cochon...

Moi et mon sale caractère, donc, ne perdons pas le fil, on avance, on avance, la valise violette, ma Zoé qui trottine, nous montons dans la voiture 19 et patatras : nos places sont déjà occupées. Je commence à m'énerver, ne t'énerve pas, chéri, mais si je m'énerve, il y a toujours des cons qui s'asseyent n'importe où...

Les cons en question ouvrent de grands yeux, protestations, commentaires, vérification des billets, manque de bol : ils ont les mêmes places que nous. Le train est bondé, le ton monte, c'est alors que Dieu le père, déguisé en contrôleur, surgit dans le compartiment. Sa cravate est assortie à la valise de Zoé, et ça fait comme un petit pont de couleur entre eux, une sorte de complicité qui m'agace. Il vérifie à son tour les billets, les leurs, les nôtres, les leurs encore. Il confirme qu'il y a eu doublon, il articule comme si nous ne parlions pas bien le français, doublon, double émission, je dois me retenir pour ne pas l'envoyer paître – chéri, tempère Zoé, ce n'est pas grave, chéri, ce n'est pas la faute du contrôleur si…

– Ce n'est la faute de personne, c'est ça ?

J'attendais un prétexte pour ne pas partir en week-end, voilà qui est tout trouvé. Je soupire, au fond, je suis soulagé, mais Zoé l'entend autrement. Elle s'accroche. Il y a deux strapontins près des toilettes, qu'est-ce que tu en dis chéri, on s'installe sur les strapontins ? Ça nous rappellera notre jeunesse…

Notre jeunesse ? Mais nous sommes jeunes encore, qu'est-ce que tu racontes ? Dans ces conditions, je préfère annuler le voyage. Zoé est déçue, les larmes en équilibre au bord des yeux. Je me demande ce qu'elle voit quand elle me regarde. Me trouve-t-elle toujours aussi beau ? Je ne me suis pas rasé depuis deux jours. Mon imper est taché. Je me tiens très droit pour compenser, ce n'est pas comme si je n'avais pas envie de plaire à Zoé, non, j'ai envie de lui plaire, mais je n'ai pas envie d'avoir à le prouver. J'ai besoin d'elle, ma petite fille, j'ai besoin de toi, mais soudain, je vais te dire la vérité : l'idée de partir au bord de la mer me semble au-dessus de mes forces.

Le contrôleur veut marquer quelque chose au dos de nos titres de transport pour que nous puissions en obtenir le remboursement intégral (il insiste sur l'intégralité), mais je ne lui laisserai pas ce plaisir-là. Je lui arrache les billets des mains et les déchire sous son nez.

– Voilà ce que j'en fais de notre week-end, des confettis, des confettis !

Le contrôleur reste bouche bée. Il n'ose pas intervenir, estime sans doute qu'il vaut mieux nous laisser tranquillement sortir pour ne pas retarder le départ du train. Silence de mort dans les rangs. Silence de neige. Les petits morceaux de papier tombent dans l'allée centrale, je me frotte les mains, je sais que c'est ça qui marquera les esprits, ça que les passagers raconteront à destination : les billets déchirés, l'argent foutu en l'air, les bouts de papier jetés par terre en dépit de toutes les règles de bienséance.

Je tourne les talons, nous descendons du train. Zoé traîne sa valise, et nous repartons dans l'autre sens. Je ne lui propose pas de l'aider. Très droit, toujours, très élégant malgré la tache sur l'imperméable. Je suis un mufle, voilà ce que je suis et le mot colle aux dents, je le mâche, le remâche au rythme de mes pas, le bruit des roulettes en musique de fond. Dans la valise, il y a des chaussures de randonnée, une paire de tennis, des sandales neuves, des caoutchoucs pour ne pas se blesser sur les rochers, ah oui, j'allais oublier les tongs au cas où, pour la place que ça prend, et les vêtements assortis, et moi je

te demande, Baby Zoé, pourquoi emporter toutes ces affaires ? Qu'est-ce que tu n'as pas en toi
que tu as besoin de prendre, hors de toi ?

Pauvre chérie, elle ne sait quoi répondre.
Elle en a assez de mes questions pièges, assez de
mes remarques acides. Je lui fais mal avec mes
colères. Elle aimerait qu'on en discute. Elle veut
comprendre. De quoi faut-il que je me venge
sur elle ? N'y a-t-il pas d'autre remède à mon
angoisse que d'abuser de mon pouvoir ?

Elle m'agace avec ses analyses à deux balles,
tellement pleines d'humanité, j'accélère le pas,
et me voilà marchant devant elle, me demandant ce que je pourrais lui proposer en guise de
réparation. Regarder la télévision, tranquillement, à la maison ? Ressortir voir un film ? Ou
alors nous déposerons les bagages, puis nous
irons à la piscine. Je materai les autres filles et
le soir, nous baiserons dans l'odeur de chlore et
le souvenir des bikinis.

Zoé avec un bonnet de bain et des lunettes
de plongée, ça se visite. Je ne peux pas m'empêcher de la charrier, elle rit, nous rions, moi
aussi ça me fait une drôle de tête. Menton, mouton, matons, mater, brasse coulée. Compter les
mouvements, compter les longueurs, trois, quatre, les cuisses déformées d'une jeune fille,
combien d'années vivent les tortues du Gange ?
Il faudrait que nous passions des vacances là-bas
un jour, de vraies vacances, l'hiver prochain
peut-être, quand nous aurons formé un nouveau stagiaire. Voilà que je raisonne à la pre-

mière personne du pluriel maintenant, serais-je attaché à Zoé ? Bien sûr, nous sommes attachés. C'est comme ça. C'est bien comme ça. J'ai l'air de m'énerver mais, en vérité, je suis heureux. Oui, très heureux d'échapper au week-end au bord de la mer. Allons à la piscine.

Pourquoi raconter cet épisode conjugal plutôt qu'un autre ? Il faudrait dire aussi les moments d'infinie tendresse. Les dérives silencieuses, la complicité, les conversations alcoolisées. Ce jour, par exemple, où Antoine nous avait invités chez lui à dîner. Il avait mis les petits plats dans les grands, je ne sais pas si je l'ai assez souligné, Antoine est un ami exceptionnel, mon seul ami. Il est simple, entier, tout d'un bloc. Il n'a pas changé depuis que nous nous sommes ren-contrés au lycée, il aime toujours la viande. Il nous a préparé ce soir-là un pot-au-feu, et nous buvons beaucoup, comme dans les premiers temps. Zoé n'a pas l'air pompette, c'est drôle, elle peut maintenant vider des verres et des ver-res sans que rien ne bouge dans son visage – ce n'est que notre regard sur elle qui se trans-forme. Nous remarquons sa peau très fine, ses rides naissantes au coin des yeux, rien, juste une indication de ce qu'elles seront plus tard, un *découpez là, ouverture facile* en pointillé, tu enlèves l'emballage et juste en dessous il y a son visage de petite fille. Antoine nous imagine dans vingt ans, tous les trois, quelque part à la campagne. Nous marchons le long de la rivière en nous tenant par la main. Nous évoquons les débuts du *Paradis*. Nous sommes follement romantiques, soudain.

Tous les trois, et pourquoi pas tous les quatre ?

Delphine a presque disparu du paysage. Je ne lui ai toujours pas rendu son argent. Il paraît qu'elle m'en veut, première nouvelle, qu'elle vienne me le dire en face ! Zoé déjeune avec elle de temps à autre, je n'aime pas ces moments qu'elles passent sans moi. Nous en parlons en mettant la table, chez Antoine, le soir du pot-au-feu, et Zoé m'avoue que Delphine ne va pas bien, mais qu'elle ne veut pas que nous le sachions. Sa grand-mère est malade, elle s'en occupe beaucoup. L'idée de la perdre la plonge dans un état de panique intense. Delphine est très attachée à sa grand-mère, plus qu'à ses propres parents. Elle s'est installée dans la pièce à côté de sa chambre pour être là, la nuit. Être là, quoi qu'il arrive. Elle ne supporte pas l'idée que sa grand-mère puisse rester seule dans son appartement de l'avenue Niel. Il y a bien des infirmières qui se relaient à son chevet – mais tu comprends, dit Zoé en plissant les yeux, une infirmière, ce n'est pas pareil.

Antoine est stupéfait, lui qui croyait que Delphine filait toujours le parfait amour avec son Julien à la con (il est de mon avis, ce type est un con).

Zoé confirme : le cousin de la chambre de commerce a déménagé depuis plusieurs mois, d'ailleurs ils n'étaient pas vraiment ensemble, juste des bons copains, et je suis soudain envahi par un sentiment de compassion à l'égard de Delphine. Je me revois au chevet de maman. Je me souviens combien je me suis senti seul à ce moment de ma vie, et j'en veux à Zoé de ne pas nous avoir prévenus. Il faut être là, aux côtés de Delphine. L'épauler. Elle a besoin de ses amis, sa petite famille comme elle nous appelle, sa garde rapprochée. Il faut lui téléphoner. Lui proposer de nous rejoindre chez Antoine.

Dès la première sonnerie, quelqu'un décroche. Quelqu'un avec la même voix que Delphine, mais un débit différent. Comme si on l'empêchait de parler. Mais non, personne ne l'empêche de parler. Delphine est seule. N'a pas envie de tout expliquer. Accepte de venir, sans même se faire prier. Depuis le temps, répète-t-elle, depuis le temps…

*

Delphine a encore changé de coiffure. Ses cheveux sont mi-longs, relevés par de drôles de barrettes de chaque côté d'une frange épaisse, façon poney Shetland. Elle vient de mettre du rouge à lèvres, ça se voit qu'elle s'est maquillée spécialement pour nous, à la va-vite, dans le taxi peut-être, car elle est venue en taxi. C'est un grand type qui conduisait, raconte Delphine. Elle le décrit en évitant mon regard, ne s'adresse qu'à Zoé.

– Une baraque, genre Viking, avec un accent charmant. Des bras comme des cuisses et un cou de taureau.

Je me demande s'il ne s'est pas passé quelque chose entre eux, vite fait, sur la banquette arrière, et voilà que la machine à fantasmes repart, elle se penche, il lui caresse les cheveux, le front, fait pénétrer un doigt dans sa bouche. La voiture est stationnée dans un coin sombre. Le moteur au ralenti. Les grosses mains du Viking sur le cul de Delphine, je regarde ses jambes : elle ne porte pas de bas, ni de chaussettes, pas de collant bien sûr. Ses jambes sont nues, très blanches. Nues et blanches dans des bottes bleues (type western cette fois, avec un bout pointu qui rebique).

– Qu'est-ce qu'elles ont, mes bottes, elles ne te plaisent pas ?

– Oh tu sais, moi, les bottes...

Delphine enlève son imper, le suspend dans l'entrée, s'assied en bout de table, se tortille sur sa chaise. Ne veut pas d'assiette, prétend qu'elle n'a pas faim, qu'elle a déjà mangé, mais n'arrête pas de picorer, un morceau de pain par-ci, un morceau de viande par-là, un cornichon, une pomme de terre, comme si sa main était attirée par la nourriture, qu'elle ne pouvait pas s'empêcher de se tendre, puis de ramener son butin à la bouche. Elle demande des nouvelles du *Paradis* et, comme elles sont excellentes, je me sens coupable de ne pas lui avoir remboursé son argent. Je m'attends qu'elle le réclame, c'est le moment rêvé, mais elle change de sujet. Évoque la maladie de sa grand-mère, sans la nommer. L'autre jour, une infirmière lui a demandé qui était le jeune homme sur la photo accrochée au-dessus de la table. Elle n'a pas su répondre. C'était son fils – mon père, explique Delphine, il ne vient jamais la voir, et ça me fait de la peine.

Antoine est aux petits soins avec Delphine, sa délicatesse est payante : elle lâche enfin qu'elle ne va pas très bien non plus, et même pas bien du tout. Sa voix change. Elle devient très basse, sans inflexion. Il ne s'agit pas d'une information ordinaire, il s'agit d'un aveu. Il ne faut le répéter à personne (à qui pourrions-nous le répéter ?). Elle a dû arrêter de travailler pour se remettre d'aplomb. De fil en aiguille, nous apprenons que sa grand-mère a été hospitalisée il y a deux semaines, et qu'elle-même sort d'un séjour dans une clinique huppée de la région parisienne.

Zoé ouvre de grands yeux, pourquoi ne l'a-t-elle pas prévenue ?

Une fois qu'elle s'est soulagée de son secret, Delphine reprend de l'assurance. Elle est enjouée, soudain, pétillante. Ce n'est plus la même personne.

– Tu ne vas pas me croire. Tu sais qui j'avais dans la chambre d'à côté ? Attends, tu ne connais que lui, cet écrivain génial avec des petits yeux…

Delphine est sous traitement, les noms lui échappent, elle ne devrait pas boire d'alcool, mais bon, si on ne devait pas faire tout ce qu'on ne doit pas faire (elle s'emmêle les pinceaux, puis abandonne ; se tait pendant un long moment). Nous apportons le fromage, Zoé passe près d'elle, Delphine la retient par la main et la conversation repart.

– Tu connais la dernière du psychiatre ?

Zoé fronce les sourcils. Le psychiatre, quel psychiatre ?

– Mais si… je t'en ai parlé la dernière fois… Celui qui transpire quand je lui raconte mes histoires. Je ne t'en ai pas parlé ? Ça m'étonne…

Zoé émet un bruit difficile à décrypter – oui, non, peut-être ? Je la sens mal à l'aise. Delphine se tourne vers moi et m'adresse la parole pour la première fois.

– Le docteur Toupis, c'est lui qui me suit depuis la rentrée. S'appeler Toupis et être psychiatre, avoue, il faut du cran.

– Je ne vois pas le problème. Je m'appelle bien Leriche…

– Tu ne vois pas le problème ? Toupis, comme une toupie, ou Tout Pis, de mal en pis…

Elle part d'un rire douloureux. Ma gorge se serre. Je vais me resservir à boire, elle me tend son verre.

– Je lui raconte mes aventures, à Toupis, et il se met à transpirer. Parfois j'en rajoute un peu, juste pour le voir changer de couleur. Il est trop mignon. Petit, comme ça, tout rond, avec un air de rouge-gorge. L'autre jour, par exemple, j'ai rencontré un mec dans le métro, un étudiant, je ne sais pas pourquoi, je l'ai regardé, il m'a regardée, et j'ai raconté à Toupis que…

Je me lève à mon tour, j'ai envie de la gifler. Qu'est-ce qu'elle vient nous emmerder avec ses histoires de mecs à deux balles alors que sa grand-mère est en train de mourir ? Belle, toujours, malgré sa drôle de coiffure. Je ne supporte pas ses éclats de rire, ses incohérences, et, en même temps, ils me donnent envie de la prendre dans mes bras et de l'enlever de cette ville où elle perd le nord. Nous partirions à l'étranger, loin de sa famille, nous habiterions à la montagne, ou à la campagne, oui, à la campagne, une vie bien tranquille, près d'une rivière, comme dans les rêves d'Antoine.

– Tu préfères la montagne ou la campagne ?

Delphine me regarde d'un air surpris.

– La mer, bien sûr, je préfère la mer. Pourquoi ?

Pour rien, Delphine, pour rien. Zoé revient avec du café. Personne n'a envie de dormir. Les tasses sont remplies, vidées, la soirée se poursuit. Les deux filles sont assises à l'écart, elles bavardent. Je suis près de l'ordi avec Antoine, il me montre ses dernières photos. Je laisse traîner une oreille, au cas où il y aurait quelque chose à glaner. On a toujours envie de savoir ce qu'elles se disent quand elles sont entre elles. Zoé parle d'un journal, non, pas d'un journal, de son journal.

Son journal ? Première nouvelle. Elle confie à Delphine qu'elle le tient tous les jours, quoi qu'il arrive, même si elle n'a rien à raconter. Ce verbe encore, tenir, quand elle avoue qu'elle tient à lui plus qu'à tout au monde. Et moi dans tout ça ? Pourquoi ne m'a-t-elle jamais dit qu'elle écrivait ? Je suis quoi pour elle, hein, je suis quoi, un coffre à jouets, avec mon poireau en guise de baguette magique ? La voix d'Antoine me fait sursauter.

– Cette photo, je l'ai prise hier matin dans l'atelier, avec le reflet des miroirs… De dos, là, c'est la plus ancienne employée de la boîte. On dirait qu'elle va s'envoler, tu ne trouves pas ? L'ombre, en bas, comme les ailes d'un ange…

Antoine agrandit l'image sur l'écran. Il est fier de lui. Je me lève pour aller aux toilettes. Il est temps que cette soirée se termine. Quand Zoé sera endormie, je retournerai dans son bureau. Je fouillerai tout, de fond en comble. Je suis sûr que le fameux journal sera là, dans un des tiroirs ou sur l'étagère du fond, sous une pile de dossiers, et je comprends mieux pourquoi, après le dîner, ou le week-end, avant le petit déjeuner, Zoé a toujours quelque chose d'urgent à faire pour le *Paradis,* une fiche à compléter, un devis à signer, des papiers à remplir. Je reviens des toilettes avec la ferme intention de partir, quand une phrase entendue bouleverse mes plans. Baby Zoé parle d'un macho, un type qu'elle connaît bien, sans doute, à la façon dont elle en dresse le portrait.

– Macho, précise-t-elle, mais pas dans le mauvais sens du terme. Je dirais plutôt viril, tu vois ?

Delphine acquiesce. De qui s'agit-il ? Je m'approche, très sûr de moi en apparence, à l'intérieur en ébullition, pose une main sur l'épaule de Zoé et, de l'autre, me caresse négligemment le crâne.

– Vous parlez de qui ?

– De toi, mon chéri, de toi, de qui pourrions-nous parler ? Macho, mais pas dans le mauvais sens...

– Du terme, j'ai entendu. Pourquoi tu dis ça ?

Elle a mis le doigt sur un point sensible. Je savais bien qu'un jour ou l'autre ça sortirait. Eh bien voilà, le moment est arrivé, un moment fortement alcoolisé, ce qui n'arrange pas mon cas. En résumé, en vrac, et tout cela dans une bonne humeur difficile à comprendre (si elles ont tant de choses à me reprocher, comment peuvent-elles me regarder avec une telle bienveillance ? à leur place, une fois de plus, je me serais quitté illico), en résumé, donc, autant qu'il m'en souvienne : ma façon d'enclencher le turbo dès qu'une jolie femme passe près de moi, de me redresser quand une comédienne me plaît physiquement, même si sa candidature ne présente aucun intérêt pour le *Paradis*. De la jauger, sérieux comme un pape. Croupe, cuissots, chevilles, très important la finesse des attaches et le galbe des mollets. Pieds enfin (ou plutôt chaussures), et retour au trot enlevé, ne pas en perdre une miette.

– Waouh ! Pas mal les jambes ! À quelle heure elles ouvrent ?

Cette aptitude à remarquer les failles, à noter les défauts, prouvant ainsi à mon entourage que je garde la tête froide devant les beaux spécimens, dégainant au besoin une citation bien tassée si la bête en question présente des signes d'affaissement (tout ça au second degré, est-il besoin de le préciser) – « Ne vous vengez pas des femmes, le temps s'en charge pour vous » (Paul Claudel) ou autre délicatesse de ce genre, j'en ai toute une collection.

Ma façon d'évoquer des douleurs qui m'inquiètent, mais de ne pas aller consulter – ah bon, c'est être macho que de ne pas prendre rendez-vous chez le médecin ?

De marcher comme un débutant dès qu'on flatte ma virilité (c'est Delphine qui le prétend, et honnêtement je ne vois pas à quoi elle fait allusion). Quoi encore ? Ma propension à prononcer des paroles blessantes en public, de vieux mots bien lourds, comme si leur côté vétuste pouvait les rendre inoffensifs. Le mot « laideron », par exemple, pour citer celui que Delphine déteste le plus.

– Ça te viendrait à l'esprit de traiter un homme de laideron ? Non, franchement, Alexis, réponds-moi franchement...

– Très franchement ? Non.

– C'est un adjectif au masculin, pourtant, on dit un laideron, pas une laideronne...

Et que ça se ressert à boire, et que ça trinque.

Delphine repart à l'assaut, toujours question de vocabulaire, elle est déchaînée : ma façon de dire « baiser » au lieu de « faire l'amour », et d'utiliser l'expression « mal baisées » à toutes les sauces, pour les femmes, toujours. Les hommes seraient-ils mieux servis en la matière ? Et mal baisées par qui, hein ? On se le demande.

Je garde le sourire, je ne vais pas m'abaisser à me justifier.

– Le QI d'une huître, reprend Delphine, pour un homme, c'est quoi ? Le QI d'un bulot ?

Ah ! Ah ! Très drôle.

Plus sérieusement, une autre phrase que j'aime prononcer, paraît-il : « Mes chemises, je ne les donne jamais à l'extérieur. » L'air de fierté qui accompagne ma déclaration, comme si c'était une marque d'élévation sociale que de laver son linge à la maison. C'est vrai, je ne donne pas mes chemises à l'extérieur. Et alors ? Elles y ont pensé, à ces pauvres filles qui travaillent toute la journée dans l'odeur des solvants ? Le cancer du pressing, ça ne leur dit rien ? Et Zoé en est témoin : c'est moi qui les mets dans la machine.

– Bien entendu, ensuite, tu les étends.

– Ça m'arrive, oui, bien sûr, je les étends.

– Et tu les repasses.

– J'ai essayé une fois, et ça a été la catastrophe. Pauvre chemise…

– Une fois, tu as essayé une fois.

– Oui, une fois, ça m'a suffi. Alors que Zoé… Tu m'écoutes, Delphine ?

– Je t'écoute, Alexis.

– Zoé n'a jamais, tu m'entends, jamais, ne serait-ce qu'une fois, émis l'hypothèse qu'elle pourrait elle-même déboucher les chiottes, au lieu de m'appeler au secours. Cette voix désolée qu'elle prend… Alex, tu peux venir voir les toilettes ? Évidemment, pour les chiottes, je suis de corvée. C'est ce qu'elle appelle le partage des tâches. Elle le fer à repasser, moi la ventouse. Les femmes ne sont pas inférieures, elles sont différentes, ça vous va comme ça ? Et entre nous, parfois, j'aimerais bien échanger.

Différentes, je ne sais pas pourquoi, le mot les amuse. Elles le répètent, s'en gargarisent. Nous sommes différentes, qu'est-ce que tu penses de ça, ma Zoé, tellement différentes ! Et pourquoi pas complémentaires, rebondit Zoé en détachant la première syllabe. Complémentaires, con… sensuelles et con… sacrées. Décidément, elle est beurrée comme un coing, et je pense que demain elle regrettera cette conversation – je ne sais pas encore que, le lendemain, elle aura tout oublié.

– Qu'est-ce que tu as lancé l'autre jour à propos de la directrice de l'agence immobilière ? Attends, attends…

Je m'en souviens très bien, et je me suis même trouvé assez spirituel. J'ai dit exactement : une drôle de créature, mi-singe, mi-femme, avec le côté sympathique des singes et le côté énervant des femmes.

– Pas énervant, irritant, tu as dit irritant – il a

dit irritant –, le côté irritant des femmes, et tu t'es mis à faire des grimaces.

– Et alors ? Ce n'est pas vrai ?

– Pas vrai quoi ?

– Qu'elle a l'air d'une guenon ? Qu'est-ce que vous cherchez toutes les deux ? À me ridiculiser ?

– On te cherche des poux, hein, Zoé, c'est ça qu'on lui cherche ? Des poux. Ah oui, on a oublié, sur la liste des compliments : laide comme un pou…

– Ton psychiatre, tout à l'heure, tu ne l'aurais pas traité de homard par hasard ?

– Non, pas de homard, de rouge-gorge. Ce qui est nettement plus mignon. Alors qu'un pou…

– Un thon…

– Une morue…

– On n'aurait plus le droit de dire qu'une femme est moche, ou exaspérante, ou idiote ? Qu'elle a un gros pétard ou de la moustache ? Elle est belle, votre égalité. Je fais la même chose avec les hommes, si vous écoutez bien. Je les traite de la même façon. Pour moi, il n'y a pas de différence.

– Pas de différence ? Tu viens de prétendre le contraire.

– Tiens, on avait oublié ça : il aime la contradiction…

– La controverse pour la controverse.

Baby Zoé m'embrasse dans le cou, elle a du mal à garder son équilibre, se retient au fauteuil. Il ne faut pas que je m'énerve, elles plaisantent, et les voilà qui se lancent dans la défense et l'illustration du machisme en général, et du mien en particulier – un machisme modéré, à distinguer de la, comment dit-on déjà, de la misotruc, gynie, misogynie, évidemment, évidemment, il ne faut pas tout mélanger. Pourquoi se plaindraient-elles de ce que je débouche si bien les chiottes et insiste pour payer la note au restaurant ? Je ne sais par quel détour, Delphine parle maintenant de la mode des mecs qui s'épilent à la cire. Zoé prend un air désespéré.

– Pauvres chatons, ce qu'ils doivent souffrir…

Selon elle, le macho « dans le bon sens du terme » (c'est reparti pour un tour) est une espèce en voie de disparition qu'il faut à ce titre protéger, sinon ne resteront sur terre que des caricatures d'hommes, petits garçons montés en muscles comme les choux montent en graine. Tout à l'image des mâles, mais sans les poils. Sourcils redessinés (très à la mode, chez les G.I.). Jambes rasées, façon cyclistes, pour mettre en valeur les tatouages, torses imberbes ou rougissants. L'horreur à la repousse. Encore que…

Elles me regardent toutes les deux, s'embrassent, se font des mamours, tendent leurs verres – et c'est à moi, bien sûr, de déboucher une nouvelle bouteille. À moi de parler. À moi, en bon macho de service, de les faire rire avec mes blagues à la con. Quelles emmerdeuses, quand elles s'y mettent. Quelles emmerdeuses.

Le lendemain, Zoé resta longuement au téléphone avec Delphine. Le ton avait changé. Sa grand-mère était morte au petit matin. Pendant que nous parlions poils et sourcils, elle respirait péniblement ses derniers litres d'air. Quand Delphine était arrivée à l'hôpital, il était trop tard, selon la formule consacrée. Son père l'attendait, assis près du lit, les mains croisées sur ses genoux. Les yeux secs. Il dut serrer sa fille dans ses bras, tapotis d'épaule, et toi, comment ça va ? Tu as mauvaise mine. Débarquement de la mère, on l'imagine costumée en triste, mais avec au coin de la bouche la marque de l'indifférence, ou même du soulagement. Delphine se raidit, ne t'inquiète pas, maman, je m'occupe de tout. Et elle s'occupera de tout. La déclaration à la mairie, le choix du cercueil, la livraison des fleurs et la rédaction de l'annonce pour la rubrique nécrologique.

Après l'enterrement, Delphine sera à nouveau hospitalisée. Zoé en parle dans son journal, s'inquiète pour son travail au ministère. Se demande si elle est bien soignée – toujours dans son journal, dont je suis désormais un fidèle admirateur (en cachette, bien sûr). Après ma lecture, je le remets soigneusement à sa place, dans le tiroir de droite, sous une pile de dossiers, exactement là où j'avais imaginé qu'il serait. Je n'ai eu aucun mal à le trouver. Ma Baby Zoé est d'un prévisible...

Ce que je n'avais pas prévu, c'est la forme que prendraient ses confidences. Je m'attendais à tomber sur quelque chose de plus sucré sans doute, mais non. Zoé s'exprimait bien, avec sobriété. Je me rendis compte que je ne connaissais pas son écriture – à part quelques notes posées sur la table de la cuisine ou la liste des courses, nous avions peu l'occasion de correspondre, puisque nous ne nous quittions jamais. Il y avait dans sa façon de voir le monde (et de me voir, car, évidemment, ce point précis m'intéressait en priorité) une distance simple et chaleureuse, comme quand tu te mets près du feu et que tu tends les mains. Tu sais qu'un peu plus près tu risques de te brûler. Tu avances quand même, tu flirtes avec les flammes. Tu aimes tourner les bûches. Ajouter une branche, remuer les braises et faire des étincelles.

Il ne m'était jamais venu à l'esprit que j'étais au fond, moi aussi, d'une grande naïveté. J'avais vécu jusque-là le nez collé contre la vitre. Comment avais-je pu penser que mes coups de griffe passaient inaperçus ? Non, rien ne passait, ni inaperçu ni à la trappe : ça marquait. C'était marqué. Zoé avait tout consigné, et j'étais étonné qu'elle décode mes comportements avec tant de finesse. Elle notait, par exemple, que lorsque je cassais des objets (j'étais un grand casseur, c'est pour cette raison qu'elle ne me laissait pas ranger la vaisselle), je les remplaçais toujours par des objets ressemblants, mais qui coûtaient beaucoup plus cher, comme si ça pouvait doublement réparer. Cette marque d'attention la touchait. On dirait, ajoutait-elle un peu plus loin, que ça lui pèse d'habiter dans mes meubles.

Et c'est vrai, ma chérie, ça me pèse terriblement. Est-ce si difficile à admettre ? J'ai toujours mal supporté l'idée qu'Enzo, ton premier mari, ait pu boire avant moi dans le verre que tu me tends, s'asseoir sur ce canapé où tu m'invites à te rejoindre. Mes lèvres, à la même place que les siennes. Mon cul au même endroit que son cul et nos deux corps sur ton corps, merde, merde ! Le matelas, c'est la première chose que j'ai changé, tu t'en souviens ? Il nous fallait notre lit à nous, avec de nouveaux draps et surtout de nouveaux oreillers. Même toi, il fallait te changer, un bon décapage pour t'enlever de la tête les images de banquise et les mille et une recettes de pasta. Du jour au lendemain, je n'ai plus aimé les pâtes. Je n'aime plus les pâtes, tu m'entends ? Ni le pesto ni la mozzarella. C'est arrivé comme ça, sans prévenir. Oui, je les aimais avant, eh bien depuis que nous sommes mariés, je préfère la purée et les lentilles. Dis-moi que c'est ridicule, dis-le ! Je suis ouvert à la discussion.

Aujourd'hui encore, il m'arrive, et pas seulement de façon inconsciente, d'avoir envie de faire le ménage dans tes affaires. Il y a des vêtements que je voudrais voir disparaître de ta penderie, et des souvenirs que tu as rapportés de tes voyages avec l'Italien qu'il serait grand temps de mettre à la poubelle. Tout ce que Lorenzo t'a offert, pourrais-tu le jeter s'il te plaît ? L'igloo a fondu, par bonheur, mais cette chaînette en or que tu portes souvent, si je m'écoutais, je la saisirais dans mon poing, je tournerais un peu, puis tirerais d'un coup sec. Tu vois le geste, tu le vois ? Une petite douleur dans le cou, comme une piqûre d'insecte, rien de grave, ma Baby Zoé, trois fois rien.

La revendre ? Mais pour quelle raison ? Nous gagnons bien assez d'argent avec le *Paradis*. Tu sais où elle va finir, ta chaînette ? Dans les égouts, avec les tiques et les bruits parasites. Je la tiens au-dessus du trou de la plaque en fonte, je lâche, je rattrape, je joue au yoyo avec elle, à l'ascenseur sentimental, je ris, oui, ça me fait rire parce que les objets, au fond, quelle importance ? Tu me supplies d'arrêter. Oh merde ! Le collier m'a glissé des doigts, que je suis maladroit... Je me roule à tes pieds, je t'en offrirai un autre, c'est promis, plus ancien, plus je ne sais quoi, mais plus, toujours plus pour ma Baby Zoé. Même topo pour les boucles d'oreilles. De toute manière, elles étaient moches, ces grosses bouboucles, elles ne t'allaient pas du tout. Ton premier mari avait un goût de chiotte.

Tu protestes, tu te débats, nous nous bagarrons. Tu appelles Antoine à ton secours, ne faudrait-il pas que j'aille consulter ? Voir quelqu'un, comme Delphine ? Un psychiatre qui change de couleur quand on lui raconte des histoires de cul, ça me dirait ? Ou une jolie analyste qui

croiserait ses longues jambes dans mon dos.
Hum… Voilà qui me conviendrait. La basculer
sur le divan, lui lécher la praline, tu es bien
sûre de vouloir que je prenne rendez-vous avec
elle ? Tu le veux vraiment ?

*

On fait souffrir les fruitiers pour qu'ils donnent plus de fruits. On élimine les gourmands,
ces branches stériles qui vont au ciel, sans se
soucier de leur économie. Une plante en pot,
une plante que l'on maltraite, a-t-elle conscience qu'elle pourrait être mieux soignée ?
Non, elle se contente de tourner ses feuilles
vers la lumière. Ses efforts sont désarmants. Zoé
rêvait d'habiter dans une maison avec un jardin, ou une terrasse au moins, mais comment
l'aurais-je su ? Seul son journal était au courant.
Avait-elle peur de moi ? Peur que je lui reproche de ne pas mettre toute son énergie dans le
Paradis des voix ? Même ses anciennes amies du
laboratoire médical, Zoé ne les voyait plus. Elle
s'en plaignait ici et là dans le journal. Elle se
plaignait aussi de mon comportement au restaurant. Avait honte, écrivait-elle, de ma façon
de la traiter en public. Honte quand je renvoyais
le vin, en prétendant qu'il n'était pas à son goût :
madame le trouve trop acide, madame dit qu'il
est bouchonné. Je revoyais sa mine chiffonnée,
c'est vrai, Zoé n'aimait pas se faire remarquer,
mais, justement, il était temps qu'elle prenne

de l'assurance. Grandir est un acte douloureux. Un peu plus loin, Zoé revenait sur le sujet, et c'était tout le contraire, allez comprendre les femmes : elle était fière d'être mariée à un homme qui ne se laissait pas marcher sur les pieds. Fière de se promener avec moi dans la rue, comme j'aurais été fier de me montrer au bras de Delphine.

Voilà qui me sauvait : Zoé m'admirait, physiquement parlant. Elle me trouvait beau, et cette chose qu'elle appelait la beauté, cette chose que j'avais reçue en partage, qui était moi, et pas moi, puisque je n'avais rien fait pour l'avoir, cette chose me servait à la fois d'étendard et de bouclier. Zoé se trouvait si moche à côté. Elle ne semblait pas consciente de la force d'attraction que pouvait développer son corps miniature. Ma queue entre ses fesses quand elle est assise sur mes genoux comme une petite fille, immanquablement, ça me donnait la trique. J'aurais aimé pouvoir éjaculer en silence, et puis recommencer. J'envie cette capacité qu'ont les femmes de jouir plusieurs fois d'affilée, même si avec moi, il faut l'avouer, ce n'est pas arrivé souvent. Est-ce ma faute si je m'endors tout de suite après l'amour ? Je ronfle, oui, je sais, les filles, je sais, ça manque de poésie. Ce que je ne sais pas, c'est la raison pour laquelle je pense beaucoup à Louise en ce moment. Il paraît qu'elle va bien, c'est mon père qui m'a donné de ses nouvelles. Contre toute attente, elle est toujours avec mon frère. Ils habitent l'ancien pavillon, celui de notre enfance. Dans de nouveaux meubles, a précisé mon père, entre de vieux murs. Ils se sont endettés pour isoler la toiture, sinon, tout est pareil.

Louise s'est un peu tassée, paraît-il. Elle est devenue franchement popote et parle sans cesse de ses fils – l'aîné qui me ressemble, et l'autre qui ressemblerait plutôt à mon frère. Pense-t-elle à moi, parfois ? J'aimerais la revoir, lui demander pardon. Je n'étais pas dans mon état normal lorsqu'elle venait à la maison. Comme j'ai changé depuis ! Même physiquement, j'ai changé. J'ai pris du coffre, du volume. Ma voix s'est posée. Je suis moins bordélique qu'avant, je mange régulièrement, un peu de tout, et si je bois trop ce n'est pas toujours ma faute. Il faut bien déborder quelque part, question d'hygiène mentale. La soupape, comme disait mon père quand il nous emmenait au bowling, très important, la soupape ! J'imaginais un petit bitoniau en haut de sa calotte, façon Cocotte-Minute. Il faisait l'idiot, mon frère applaudissait en mâchant son chewing-gum. Le visage crispé, je descendais les quilles. Je gagnais souvent, et je me demande aujourd'hui si mon père ne lançait pas exprès la boule de travers. Il faudra que je lui demande.

*

Dans les premières pages de son cahier, Zoé évoquait le soir où j'avais fait l'éloge de son menton en prenant le serveur à témoin. J'avais prétendu que c'était la partie de son corps qui me plaisait le plus, ce menton pas ordinaire, pour rien au monde je ne l'aurais voulu différent – c'est ce que j'avais déclaré haut et fort, et, si ce n'était pas vraiment vrai, ce n'était pas non plus complètement inventé. Zoé racontait la scène sans se plaindre, notant au passage la similitude des mots embrasser et embarrasser, comme si ces petites tortures que je lui infligeais en public pouvaient être, en prenant un peu de distance, des preuves d'affection. Les phrases de Zoé étaient courtes, ramassées. Elle s'était sentie très mal ce soir-là, et moi, rétrospectivement, j'étais tout penaud de lui avoir joué ce mauvais tour. J'avais été un cran trop loin, je m'en rendais bien compte en lisant son récit. J'aurais aimé lui demander pardon, mais comment revenir sur le sujet sans lui mettre la puce à l'oreille ? Il ne fallait surtout pas qu'elle découvre que je lisais son journal, je n'avais aucune envie de me priver de cette source d'information.

Toute la journée, j'avais porté des excuses dans ma bouche comme une chatte porte ses chatons, sans trouver le bon moment pour les déposer aux pieds de Zoé. Je voulais lui expliquer que tout me plaisait en elle, même ce qui ne me plaisait pas. Je trouvais que c'était le plus beau compliment du monde, j'étais assez content de moi. Je me gargarisais de ma phrase magique.

– Tout me plaît en toi, ma chérie, tu m'entends ? Tout. Même ce qui ne me plaît pas.

Ce soir-là, nous nous étions couchés comme d'habitude vers minuit. Elle, après son tour rituel au bureau, et moi, avec mon sac de repenti dans la bouche. Nous nous étions longuement embrassés, ce qui devenait de plus en plus rare. À défaut de parler, j'avais exprimé ma tendresse de toutes les façons possibles, et Dieu sait si la langue est habile à ce genre d'exercice. Ma tête entre ses cuisses, son souffle qui s'accélère… J'aurais aimé la prendre avec douceur, en gardant les yeux ouverts, pour lui prouver que je la trouvais belle, même si ce n'était pas vrai, mais un événement indépendant de ma volonté m'en empêcha : mon sexe pendait misérablement.

J'avais beau l'encourager, il restait parfaitement étranger à l'histoire qui se racontait autour de lui. Ne voulait pas durcir. Pas me racheter. Avait besoin d'autre chose que de bons sentiments pour relever la tête. Réclamait sa dose de violence, sa dose de haine peut-être, et j'en voulais à Zoé de me laisser si flasque. Cette petite fille m'était devenue indispensable, de quoi se plaignait-elle ? Je ne pouvais pas me passer d'elle. Elle, qui ne demandait jamais rien. Qui refusait l'affrontement, endossant l'habit étriqué de la victime consentante ; adaptant ses mouvements à la taille du costume pour ne pas être gênée aux entournures, n'est-ce pas Baby Zoé ? S'adapter, oui, se fondre dans l'uniforme, ne pas lever les bras, jamais. Ne pas élever la voix, alors tout ira bien. Tout ira ou, selon l'expression de ma mère, on fera aller, c'est ça, on fait aller. Zoé et moi, nous faisions aller, mais était-ce vraiment ma faute ?

Ce n'était la faute de personne. La machine était trop bien réglée, comme dans ces jeux de foire où le chevreuil vient prendre la pose devant le chasseur. Tout le monde gagne, même les perdants, ou le contraire peut-être. Tout le monde perd, même les gagnants. Venez chercher votre lot de consolation. Un nounours, un poisson rouge et, pour trois points supplémentaires, la bouillotte en forme de cœur.

Zoé se révélait d'un grand égoïsme en gardant pour son journal toutes ces réflexions à mon sujet. En renonçant à partager avec moi ce qui la blessait. Pourquoi me privait-elle de sa parole ? Je la détestais de marcher si bien dans mes combines, et j'avais envie de crier : Mais traite-moi de connard, je suis un connard, parfois, un sale mec, je le sais parfaitement. Tu as le droit de m'insulter et de m'aimer quand même un peu. Je la revoyais au restaurant, se tamponnant la bouche avec sa serviette pour cacher sa gêne d'être à table avec cet homme qui se ridiculisait à ses côtés, car en y repensant, ce n'était pas elle qui était ridicule dans l'histoire, mais bien moi. Elle me trouvait en dessous de moi-même quand j'agissais de la sorte. Que j'appelais le sommelier, et que je me trompais dans le nom ou la provenance des vins. Quand je m'adressais avec arrogance aux serveurs – mais ne dit-on pas *commander* un plat ? Est-ce le plat que l'on commande, ou le serveur ? Ensuite, pour réparer, je laissais des pourboires faramineux.

Zoé me plaignait d'être si brutal (c'était son mot à elle, sa façon de me qualifier, « brutal »), alors qu'au fond elle me sentait doux et désemparé. Quand je rentrais des déjeuners avec mon père, par exemple. Ou que j'évoquais la maladie de ma mère. Pauvre petit, écrivait Zoé – c'est moi qu'elle traitait ainsi, de pauvre petit !

Je ne lui faisais pas peur, voilà ce que je comprenais peu à peu, je lui inspirais pitié. Elle avait de la peine pour moi quand je déchirais les billets de train devant tout le monde. Mais moi, Baby Zoé, je n'ai pas besoin de pitié, voilà ce que j'aurais aimé lui dire, j'ai besoin que l'on m'admire sans réserve, sans espoir de me changer. Arrête de parler de mes colères comme des selles d'un enfant malade, de les analyser dans mon dos, de tout mettre en œuvre pour me rendre la vie plus digeste, je ne le mérite pas, je ne mérite pas ta compassion, arrête, tu m'entends ? Lâche-moi ! Tu m'écœures, ta servilité me donne la nausée, ta compréhension est exaspérante et, tandis que les phrases s'entassent et se bousculent, quelque chose tiraille dans le bas de mon ventre, quelque chose qui s'exaspère à son tour, qui dit la vie, l'urgence du désir, le bonheur incarné. Zoé a finalement ouvert un bouquin, elle est en train de lire à l'autre bout du lit. Tout fier, je me retourne vers elle. Je prends sa main et la conduis jusqu'à mon sexe, qu'elle sente comme il est dur. Cette fois, je vais bien la baiser, elle m'en dira des nouvelles.

Minable, j'étais minable, et pourtant comment ne pas regretter cette époque de ma vie. Le lendemain, ou un autre soir (je mélange un peu), Zoé reparlait de Delphine dans son journal. Il était évident, écrivait-elle, que je lui plaisais toujours, et réciproquement. Elle allait plus loin, suggérant qu'un jour il faudrait que nous passions à l'acte, une bonne fois pour toutes, ne serait-ce que pour rompre le charme.

Pourquoi parlait-elle de rompre le charme, ne pensait-elle pas au contraire que nous allions y prendre goût ? Non, elle y revenait à la page suivante, il s'agissait de faire l'amour pour faire passer l'amour, au contraire. Faire, pour faire passer, c'était bien ça que Zoé avait à l'esprit, une fois de plus des mots collés façon pavés de poissons surgelés, tout crus, sans arêtes ni coloration affective. Mon désir allait finir asphyxié au moment de son accomplissement, écrasé entre le faire et le passer. Une bonne crampette, et hop, chapitre suivant.

Que je la quitte pour Delphine, Zoé n'y croyait pas. C'était inconcevable pour elle, et pas seulement parce que le *Paradis des voix* nous tenait attachés, encore moins les liens du mariage, je sentais bien qu'il y avait une autre raison.

Une autre raison, mais laquelle ? Delphine présentait-elle quelque malformation cachée qui me dégoûterait illico de sa personne, une pilosité monstrueuse, un vagin distendu, un clito urticant, des lèvres enflammées, un trou du cul festonné d'hémorroïdes ? Appartenait-elle à la catégorie mystérieuse de ces femmes fontaines qui mouillent leur lit, ou, au contraire, restait-elle sèche quand on la caressait, et ça lui faisait mal, ça l'irritait, oui, comme si les doigts de son partenaire étaient recouverts de papier de verre ? Delphine était d'un naturel astringent, elle refusait d'être pénétrée. Elle était frigide, glacée, irrécupérable, sortant les griffes dès qu'on l'approchait de trop près, ou alors totalement passive, lâchant de temps à autre des remarques acides, des blagues déplacées... Entre filles, on se fait des confidences, ces deux-là se connaissaient depuis si longtemps. Delphine avait très bien pu révéler à Zoé un trait de sa personnalité qui lui donnait d'emblée la certitude de notre incompatibilité. Je l'imaginais étendue sur le ventre, me présentant sa croupe, demandant d'une voix excédée ce que j'attendais pour la tringler ; je l'imaginais me travaillant le rouleau comme une professionnelle qui veut en finir, traire la bête au plus vite et passer au suivant ; je l'imaginais en jogging qui poche aux genoux, dans des lieux arides, des positions antiérotiques, et tout, toujours, me faisait bander.

En guise de conclusion, Zoé se demandait comment elle pouvait me pousser dans les bras de son amie sans que je me doute de rien. C'est ce qu'elle attendait de moi, que je couche avec

Delphine, je me répète, je n'en revenais pas, et son envie de nous accoupler tournait à l'obsession. Nulle jalousie entre les lignes, rien, pas le moindre grincement, au contraire, je sentais qu'elle avait beaucoup d'affection pour Delphine. Ça l'amusait de nous voir minauder tous les deux, elle se rappelait le premier passage devant l'agence immobilière, quand Delphine m'avait pris la main (elle portait des gants). Zoé avait tout noté, tout entendu, même les mots qui n'avaient pas été prononcés. Plus j'avançais dans la lecture du journal, plus je doutais, imbécile que j'étais, de son amour. Zoé voulait-elle se débarrasser de moi ? Quand je voyais ma queue s'approcher de son corps, je me disais parfois qu'il y avait erreur de distribution. Il fallait que je force pour entrer, même quand c'était bien mouillé. Les plaintes qui sortaient de la bouche de Zoé exprimaient peut-être la douleur, et non le plaisir. Je me suis toujours posé la question, à propos des chats. Pourquoi ces miaulements qui déchirent la nuit, ces pleurs interminables, ces hurlements…

Quelques pages plus loin, Zoé racontait mes pannes sexuelles, comme elle les appelait poliment, et, victoire ! mes regains de dernière minute. Victoire pour Alex, précisait-elle. En ce qui la concernait, il n'y avait rien qui pressait. Elle aurait bien aimé, même, que je ne bande pas si facilement (première nouvelle), ça lui aurait donné un peu plus de temps pour se préparer. Éjaculation précoce, verge molle, lâche, très lâche : voilà la faiblesse adorable du sexe fort, écrivait-elle encore, son talon d'Achille. Pauvre chéri, tout encombré par cet organe qui le dépasse et dont il est si fier, justement, quand il dépasse. Qu'il lui fausse compagnie et c'est le sol qui se dérobe. Pourtant une petite biroute, comme ça, toute douce, dans le creux de la main, c'est mignon. C'est attachant. Pour Alex, qui aime tout comprendre, tout contrôler, ça doit être dur, enfin raide, non, dur d'être à la merci de sa queue (suivaient trois points d'exclamation tracés d'une main vive).

Zoé continuait à se foutre de moi pendant quelques lignes avant de reprendre sa réflexion sur les hommes en général, et les femmes en particulier. Elle avait un paquet de conneries en réserve. À ma grande surprise, elle ne raisonnait pas en termes d'égalité entre les sexes, mais d'équilibre. Non seulement elle semblait accepter cette différence qui l'avait tant fait rire l'autre soir avec Delphine, mais elle la prônait. L'homme est ailleurs, écrivait-elle mystérieusement. Et c'est pour cette raison qu'elle pensait toujours que j'aurais – on y revient – tout intérêt à passer une nuit avec Delphine. Grosse comme je l'avais, commençait-elle, mais elle ne finissait pas sa phrase. Ou plutôt si, elle la finissait, il y avait un point après le *a*. Les mots tenaient tout seuls, bien fermes, comme une belle saucisse de Morteau au centre de la page. Grosse comme il l'a.

*

Les mensurations qui courent sur la Toile s'affolent et se contredisent. Grosse, le mot sonnait étrangement sous la plume de Baby Zoé. Je n'aurais jamais pensé qu'elle pourrait s'exprimer de façon aussi crue. Grosse, admettons, bien ferme, et assez longue, me semble-t-il, même si je n'en ai jamais eu confirmation. Parfois, je tapais « photos pénis érection » dans la case du navigateur, et je comparais. Les images étaient-elles retouchées ? Certaines queues étaient beaucoup plus élancées que la mienne. Mais quand je dis beaucoup... de vraies tiges. Et les bourses, tout un monde ! Couleur, forme, texture, encombrement... Les petites perchées, les asymétriques, les ridées qui pendent comme des mamelles, oui, tiens, voilà, pour les hommes aussi je parle de mamelles, il faudra que je le dise à Delphine. La plupart des pubis masculins que l'on trouve sur le Net sont imberbes (voir conversation précédente), les filles vont-elles les regarder parfois ? Je me demande si ces images les excitent. Il faut l'avouer, les sexes paraissent plus vigoureux sans les poils. Bien plantés, bien tendus, difficile de rester indifférent. Je me demande si Zoé aimerait ça, ma grosse bite toute droite sur une peau de bébé. Elle en a peut-être marre de bouffer du crin. Mais alors, quelle méthode utiliser ? Rasoir ? Crème ? D'après ce que j'ai pu trouver sur les forums à ce sujet, l'épilation à la cire froide reste la meilleure solution. J'ai essayé l'autre jour avec un bouchon d'oreille bien malaxé, fiasco total. La cire antibruit n'est pas conçue pour coller, évidemment, juste pour étouffer. Faire tampon. Il faudrait que j'aille voir au rayon beauté du supermarché ce qu'ils vendent pour les hommes. En attendant, j'ai rétréci la touffe aux ciseaux, Zoé en parlera-t-elle dans son journal ?

*

J'ai guetté les commentaires après l'élagage pubien et, en effet, Zoé a commenté. Ça l'étonnait de moi que je cède à l'appel de la mode. Elle préférait la forêt sous le pantalon, trouvait ça plus beau avec des poils, plus viril, mais peut-être que ça tenait chaud, au fond, qu'est-ce qu'elle en savait ? Ou peut-être avais-je des morpions ? Le lendemain, elle me poserait la question directement, sans en faire une histoire, et tout aussi directement, je lui répondrais que non, pas de morbaks, où les aurais-je attrapés ? À la piscine ?

Chaque fois que nous parlons de sujets intimes, j'imagine la transcription de nos propos. J'entends trop bien, sans doute, mais pas pour les mêmes raisons qu'avant. Je perçois les phrases derrière les phrases, comme si notre quotidien était doublé à chaque minute de sous-titres plus ou moins fidèles à la version originale. J'ai hâte de savoir ce que Zoé retiendra de nos conversations. Les mots et les gestes qui la marqueront. Ce qu'elle mettra de côté, comme on épargne des petits sous, une pièce, puis une autre pièce, dans le dos du cochon en terre cuite. Ai-je dit que j'ai arrêté de fumer ? Ai-je seulement dit que je fumais ? J'ai arrêté, donc, et l'argent des cigarettes s'accumule dans un bocal. Quand il sera plein, nous partirons en vacances. Il est plein, et je n'ai toujours pas revu Delphine. L'idée de me retrouver dans ses bras avec l'assentiment de Zoé me dérange, comme si maman était là dans la chambre, à nous regarder baiser. Pour les vacances, on attendra un peu.

VII

– Ta mère, commençait mon père en tripotant son couteau à viande, ta mère...

Il voulait me parler d'elle, mais il en restait là. Nous nous étions donné rendez-vous comme d'habitude près du bassin de la Villette. Nous déjeunions.

– Ma mère ?

– Ta mère, esquiva-t-il, prétendait que le céleri rémoulade était meilleur au restaurant qu'à la maison. Moi, j'aimais bien sa façon de le préparer, avec de l'ail dans la mayonnaise. Elle disait que l'ail, il fallait en manger tous les jours si on voulait garder la santé. Évidemment, question haleine... Mais tu la connais, toujours à vouloir nous protéger, ça partait d'un bon sentiment.

Je la connais, oui, ou plutôt je la connaissais. Je l'entends encore me mettre en garde contre les cigarettes, l'alcool, les voitures, les gens conduisent si mal. Elle ne parle pas de moi, son fils, non, si un accident survenait ce serait de toute évidence la faute des autres. Sa confiance était totale, elle m'aimait sans modération (moi, et mon sale caractère, moi et mon rictus, mon arrogance, mes déclarations déplacées). Comment vivre avec ça, cette générosité-là, maintenant qu'elle n'est plus de ce monde ? Comment lui rendre cet amour exubérant, le lui remettre en main propre, et qu'elle arrête de me torturer en me soufflant à l'oreille de là-haut toutes les mauvaises choses qui vont m'arriver si je ne mange pas de l'ail tous les jours ? Je la revois sur son lit d'hôpital, m'entourant de ses conseils comme jadis de langes. Des recommandations serrées, parfaitement énoncées malgré l'épuisement. Où est la jeune femme aux pieds nus ? La reine de la coupe en biais, celle qui revenait de la foire à tout les bras chargés de livres aux couvertures chatoyantes ? C'est le petit garçon qui parle à présent. Le petit garçon d'alors que je me mets à regretter. Celui qui offrait des fleurs pour sa fête.

— Ta mère, reprit mon père, ta mère…

Ma mère, oui, son corps attaqué par la maladie, sa perruque de travers et son amour imputrescible. Mon père voulait me révéler quelque chose d'important sans doute, mais quoi ?

— Tu es heureux ? me demanda-t-il soudain. Est-ce que mon fils aîné est heureux, au moins ?

Je tentai un sourire qui devait ressembler à une grimace, mon père fronça les sourcils.

— Il faut que tu t'arrêtes un peu, que tu prennes du repos. Tu as vu tes yeux ?

– Mes yeux ?

– Les cernes, sous tes yeux…

Je ne savais pas que mon père regardait mon visage de cette façon. J'en fus touché, ou gêné, enfin quelque chose qui serre la gorge. Oui, il avait raison, j'étais crevé. Je pensais trop au *Paradis*. À Delphine, aussi, ça m'empêchait de dormir.

– Et toi, papa, tu es heureux ?

Je m'attendais qu'il me sorte le grand jeu, sa fille, sa femme, sa maison, mais non. Il laissa échapper un « oh, tu sais, moi… » et replongea dans son assiette. J'aurais aimé le prendre dans mes bras et le serrer contre mon cœur. Je ne bougeai pas, ou presque pas. Juste un léger haussement d'épaules, de ces mouvements que l'on fait malgré soi pour se défausser d'un trop-plein d'émotion. Oh, tu sais, moi…

La conversation glissa sur le *Paradis*. Mon père suivait de près les différents projets de l'agence. Je crois qu'il comprenait bien notre démarche, cette volonté d'élargir la palette des voix proposées aux clients. Lui-même, dans son établissement, avait toujours prôné qualité et diversité, les deux mamelles, disait-il, d'une boucherie digne de ce nom, et quand on lui commandait une pièce de viande particulière, poire, hampe, paleron, il répondait immanquablement de son timbre de miel : je vois que j'ai affaire à un connaisseur…

Au *Paradis*, donc, une fois de plus, tout se passait au mieux. Confiant dans la solidité de l'entreprise, j'avais engagé une somme importante pour rénover le studio. Il n'était pas nécessaire d'enregistrer les voix avec un matériel si perfectionné, mais ça devait flatter mon orgueil d'être à la pointe de la technologie – je ne vois pas d'autre explication, car, au fond, le *Paradis* n'en tirait aucun bénéfice. J'étais parti d'un magnéto en plastique offert pour Noël, et voilà où j'en étais arrivé. Mon père me félicita, tout en jouant son rôle de père. Il me mit en garde en sauçant son assiette contre les machines trop coûteuses. Lui-même avait été obligé de réviser son jugement à ce sujet. Avant, il aurait fait comme moi, choisi la meilleure marque, le matériel le plus sophistiqué, mais aujourd'hui il avait changé d'avis. Pour lui, c'était de l'argent foutu en l'air. Il pensait sans doute à la chambre froide qu'il avait achetée pour la Bonne Chair, et qu'il avait dû revendre à bas prix quelques mois plus tard.

– Tu es bien sûr de ce que tu fais ? demanda-t-il en sauçant toujours, mais mon assiette cette fois. Il ne faudrait pas…

– Il ne faudrait pas quoi ? Avoir de l'ambition ? Ne t'inquiète pas, papa, je contrôle.

– Si tu le dis…

Je le disais, je le répétais : je contrôlais. *Au paradis des voix* était vraiment en train de décoller. Nous avions abandonné la branche « Real Estate », plus assez productive et demandant trop d'investissement humain, pour nous attaquer à des opérations de grande envergure.

– De grande…

– Envergure, oui papa.

J'alliai le geste à la parole.

– Figure-toi que nous avons décroché un rendez-vous avec le responsable du pôle information dynamique de la RATP ! Notre proposition a été retenue.

Mon père applaudit. Il voulait des précisions. L'appel d'offres concernait la refonte totale de l'univers sonore des métros, de l'annonce des stations dans les rames aux messages diffusés sur les quais. J'avais, comme à mon habitude, mis l'accent sur l'utilisation de voix singulières pour accompagner les voyageurs, allant jusqu'à proposer à des personnalités du monde des arts et de la politique de travailler avec nous. Juliette Gréco annonçant les stations de la ligne 4, ça aurait de la gueule, non ? Odéon, Saint-Germain-des-Prés, Saint-Sulpice… Les moyens techniques actuels permettaient des miracles, et nous avions poussé l'idée jusqu'à faire revivre des voix remarquables du siècle passé. Arletty, Coluche et pourquoi pas le général de Gaulle, imagine, papa ! Et papa imaginait, il me voyait déjà devant Pierre-Henri Cassier, le responsable du pôle information de la RATP, imitant le Général, ou Pierre Bellemare, tu y as pensé à Pierre Bellemare ?

République ! Bastille ! Nation, terminus ! Attention à la courbure du quai ! et il riait en plissant les yeux, génial, ton truc, ça donnerait presque envie d'habiter Paris.

Je promis de lui envoyer le CD de démonstration, avec la voix (recomposée pour le moment, il ne s'agissait que d'une maquette) de Patrick Modiano. Mon père ne savait pas qui était ce Modiano que j'avais choisi entre tous. *La place de l'Étoile*, tentai-je, *Les boulevards de ceinture*, mais non, ça ne réveillait en lui aucun souvenir périphérique.

– Jamais entendu ce nom-là, affirma-t-il d'un air buté. Jamais, jamais, jamais.

– Mais si papa, tu l'as vu à la télé, on était ensemble. Maman dans le fauteuil, il pleuvait, un romancier...

– Ah bon ?

– Je suis sûr que tu reconnaîtrais sa façon de parler.

– Alors là, ça m'étonnerait.

– Il partait sur une phrase, et puis il s'arrêtait, comme si...

– Comme si ?

– Comme si ça lui faisait mal de la finir, parce qu'il y en a une autre derrière, et encore une autre... Comme s'il voulait prendre toutes les correspondances à la fois, si tu préfères, qu'il ne supportait pas de continuer sur la même ligne, pour ne pas faire de la peine aux autres.

– De la peine... aux autres lignes ? Non, Alex, non, vraiment, ça ne me dit rien. Mais si tu l'as choisi, c'est qu'il doit être très bien. Encore que, ne pas finir ses phrases, pour les annonces de service...

Il avait l'air déçu, ou simplement blessé d'être

pris en défaut par son propre fils. Un peu plus tard dans la conversation, il était revenu à l'assaut : pour ton Modiano, je te fais confiance, mais entre nous, toi qui aimes les accents, Jane Birkin, ce serait bien aussi, non ? Et moins compliqué à enregistrer.

– Oui papa, Jane Birkin, c'est une bonne idée. Moins compliqué.

– Ou alors tu devrais chercher parmi les commentateurs sportifs. Une mine ! Et question compréhension, tu n'auras pas de problème. Ces gars-là sont habitués à articuler. Ils savent caser un maximum d'infos dans un minimum de temps. Un type comme Saccomano, tu vois qui c'est au moins ?

Non, je ne voyais pas.

– Mais si, Eugène Saccomano, ne me dis pas que tu ne connais pas Eugène Saccomano ! Ou Thierry Roland, Léon Zitrone, Frédéric Potte-cher... Ah oui, Pottecher, rien que son nom : Pot'cher ! Magnifique !

Mon père était tout content de ses propositions. Je lui promis d'en parler au responsable de la RATP. Le rendez-vous devait avoir lieu mi-juin, nous n'étions que fin avril, ça me laissait le temps de découvrir le timbre exceptionnel d'Eugène Saccomano. Je pensais aller au rendez-vous avec Lucas, comme aux premiers temps du *Paradis*. Zoé avait émis le souhait de nous accompagner, mais qu'aurait-elle apporté à notre duo ? Si elle se débrouillait bien à l'écrit, et même mieux que bien, à l'oral, devant les clients, c'était moins probant. Il faut avouer que son côté crevette ne jouait pas en sa faveur. Mon père était de mon avis, sans méchanceté aucune, il était préférable que nous y allions entre hommes, ça faisait plus sérieux. Lucas en jean et chemise, moi en costard, j'en avais acheté un nouveau pour l'occasion. J'espérais que le beau temps allait tenir jusqu'au rendez-vous. C'était un costume d'été, un costume blanc, peut-être un peu trop voyant, surtout avec mes lunettes de soleil, mais je me sentais bien dedans. J'avais l'air d'un play-boy, un de ces garçons du siècle dernier qui font tomber les filles. Dutronc, tiens, comment c'était son pré-nom, le père, Jacques Dutronc, à ajouter sur la liste des voix métropolitaines. En début de ligne avant de démarrer, station Nation, station Porte-Dauphine, quelques notes de *Paris s'éveille*... Quelle belle façon de commencer la journée. Décidément, ce projet était le projet de ma vie. La rampe de lancement du *Paradis*. Nous allions devenir grands, très grands, et le monde entier viendrait nous solliciter. Hollywood, Bolly-wood, Cinecittà... Il y avait bien d'autres façons de rêver que de construire de gros bazars qui coûtaient des fortunes. Il suffisait d'une voix, d'un timbre exceptionnel qui vous prend par surprise, car il faudrait que les annonces chan-gent tous les jours pour ne pas lasser les habi-tués, et la conversation repartit sur le caractère aléatoire des boucles et l'émotion qu'elles pour-raient susciter.

Le restaurant s'était vidé. Mon père demanda l'addition. Ce jour-là, exceptionnellement, il me laissa payer. Il devait penser que, cette fois, j'étais sorti de la mouise.

*

Je devrais peut-être aménager la suite, appuyer mon récit sur une série d'anecdotes jouant à mon avantage, mais à quoi bon réécrire l'histoire ? Un jour, je me réveillai avec le besoin urgent d'aller voir Delphine. Ça se déclencha sans préavis, sur un coup de tête, ou plutôt non, soyons honnête, comme une envie de pisser. Je prétextai un rendez-vous avec un client et filai rue Sedaine. Il était neuf heures du matin, peut-être un peu plus. Delphine aurait pu ne pas être chez elle, elle aurait pu ne pas me recevoir, elle aurait pu poser des questions, dormir, ou demander des nouvelles de Baby Zoé, et ce qui justifiait une visite si matinale. Elle ne fit rien de tout cela. M'ouvrit son cœur comme une très jeune fille, la très jeune fille qu'elle avait été au lycée. Celle qui portait des vêtements loin du corps pour cacher sa poitrine. Des tuniques froissées. Celle qui avait avalé les cachets soigneusement mis de côté depuis des mois. Celle qui avait voulu mourir, parce que le jeune homme que j'étais ne l'avait pas regardée.

Delphine avait grandi. C'était maintenant une belle femme qui parlait lentement, sans doute un peu shootée par le traitement qu'on lui avait prescrit à sa sortie de clinique. Jean-Paul, son chat chéri, était toujours là. Il avait beaucoup grossi en vieillissant. Il sauta de ses genoux, quelque chose l'appelait dans la chambre. J'aurais aimé le suivre, mais Delphine me racontait la dernière séance avec son psychiatre, il était difficile de l'interrompre. Elle pleurait encore beaucoup, disait-elle comme si elle parlait de quelqu'un d'autre, des larmes qui coulaient sans raison apparente. Son psychiatre affirmait que c'était normal. D'ailleurs, à l'écouter, tout était normal, du moment qu'il pouvait y accrocher un diagnostic cohérent. Ses mots étaient des anneaux qu'il lançait sur ses patients pour les cerner, voilà comment Delphine le décrivait à présent : comme un artiste de music-hall qui n'attend pas d'applaudissements.

Des anneaux ou des poignards ? Certains de ses commentaires touchaient des points sensibles, sans blesser jamais, quant à ses questions, disait Delphine, elles faisaient toujours mouche. Par exemple, la semaine passée, le psychiatre lui avait demandé si elle comptait me revoir.

– Et qu'est-ce que tu as répondu ?

– Aucune importance, puisque tu es là. Ce qui m'a frappée, tu vois, c'est qu'il ait utilisé le verbe *compter*. Tu te souviens de cet argent que j'avais prêté au *Paradis* pour acheter le matériel ?

Je bafouillai quelques excuses.

– Eh bien, cet argent, dit Delphine dans un souffle, j'aimerais que tu me le rembourses.

Je lui assurai que nous ferions notre possible pour régler l'affaire avant la fin du mois. Delphine me remercia, sans en rajouter. Nous n'aurions plus ça entre nous. Plus de dette. Plus de lien d'argent.

– Enfin, tu vois, poursuivit-elle sur un autre ton, j'avance, je me sens quand même mieux.

Le salon était jonché de cartons. Jean-Paul passait maintenant de l'un à l'autre, tous ces coins à renifler, il avait de quoi s'occuper. Parfois, sa queue se relevait à la verticale, bien tendue comme pour dégager au plus vite son troisième œil. Elle se mettait à trembler, et ses poils dansaient, puis la queue s'abaissait, je me lèche une patte, carton suivant. Delphine allait déménager pour de bon dans l'appartement de sa grand-mère. Pourquoi serait-elle restée dans son deux-pièces bruyant de la rue Sedaine, quand elle pouvait profiter de l'espace et de la lumière de l'avenue Niel ? Il faudrait qu'elle attende la fin des travaux, son père avait décidé de tout remettre aux normes, plomberie, électricité... La chambre de sa grand-mère avait été entièrement vidée pour être transformée en salon, le salon devenant une cuisine et la cuisine une salle de bains. Le tout largement ouvert sur le jardin, avec une entrée de plain-pied.

Delphine s'arrêta de parler. Elle me regarda longuement en silence. Sans rougir. Sans minauder. Entière.

– Et toi ?

Je rougis, je minaudai, je fis tout ce qu'elle ne

faisait pas, et pour me rattraper à quelque chose, quelque chose qui tombait, mais quelque chose quand même, je déclarai d'un air solennel : Zoé est bizarre depuis quelques semaines. Je crois qu'elle va me quitter.

– Ah bon…

Je m'attendais qu'elle proteste, Zoé, te quitter, qu'est-ce que tu racontes ? Mais non. Ah bon, c'est tout ce que Delphine trouvait à dire. Ah bon, même pas suivi d'un point d'interrogation. Je portai ma main à mon oreille gauche, comme pour répondre à un appel venant d'un téléphone invisible.

– Ça ne va pas ?

– Si, si, très bien. Juste un peu mal aux oreilles, un bourdonnement.

Delphine alla baisser la musique – il y avait de la musique, c'est drôle, je ne l'avais pas remarquée avant.

– *Les sauveteurs*, tu connais ? C'est un groupe de Marseille. Moi, j'aime bien.

– Tu aimes bien ?

– J'aime bien.

Je l'attirai vers moi. Elle résista un peu, pour la forme.

– Et ça, tu aimes ?

– Oui, ça aussi, j'aime bien.

Je lui caressai les épaules, les mains, tout ce que je pus trouver pour retarder le moment de m'attaquer à son décolleté. Ses ongles étaient si jolis, si lisses et parfaitement coupés, rien à voir avec ceux de Zoé. Mais pourquoi fallait-il toujours que je compare ? Comme si elle avait entendu mes pensées, Delphine murmura qu'il ne fallait pas s'inquiéter, pour Zoé.

– Elle ne te quittera pas, quoi qu'il arrive. C'est une fille formidable, je l'aime beaucoup tu sais.

Magnifique ! Manquaient plus que les violons. Delphine me regardait en souriant gracieusement, et je la trouvai tarte, soudain, mais tellement à côté de la plaque qu'elle me donna envie de la secouer un bon coup pour remettre ses idées en place, les rendre plus carrées, moins jolies, quoi encore ? On y revient, déranger cette beauté gorgée d'adjectifs, cette voix suave, ces taches de rousseur adorables, voilà ce que j'avais envie de faire, les bousculer, mais je restais immobile, fasciné par tout cela aussi, sa voix égale, ses taches de son, sa chevelure souple, ses seins lourds et son ventre musclé.

– On peut aller dans ta chambre ?

Delphine avait l'air gênée. Dans ma chambre, dit-elle, il y a des livres partout. J'étais en train de ranger ma biblio…

Elle n'eut pas le temps de finir sa phrase, déjà je l'embrassais, plongeant sans retenue dans sa bouche. Jean-Paul, surpris par le brusque rapprochement des corps, fila sous le canapé. Delphine faisait ça drôlement, donnant des petits coups de langue très originaux en me caressant le crâne de la main droite, tandis que la gauche s'attardait sur ma nuque, la pressant pour en extraire un jus, mais du jus de quoi au juste ?

Du jus de corps, du jus de dos, et plus elle pressait, plus sa langue allait vite, j'avais l'impression qu'elle cherchait à titiller quelque chose qui se trouvait sur mon palais, un gland miniature, un mamelon protégé par la barrière des dents, et ça marchait, c'était ça le plus incroyable. Un plaisir nouveau monta en moi, venant d'un endroit inconnu. Delphine essaya de me repousser un peu, non pour que j'arrête de la déshabiller comme je le crus au début, mais pour que je prenne mes précautions, il faut prendre nos précautions, dit-elle très sérieusement, et là je me souvins des paroles de Zoé, ce « une bonne fois pour toutes » qui m'avait tant troublé.

– Tu as des capotes sur toi ? Je prends la pilule, mais…

Non, je n'avais pas de capotes sur moi, est-ce qu'il y en avait besoin ? Avait-elle des raisons de vouloir se protéger ? Ou me protéger ?

– Jamais sans, c'est tout. Question de principe.

De principe ? Je ne pouvais plus attendre. Là encore, c'était comme ça et pas autrement. Brutal, aurait dit Zoé. Delphine portait un pantalon flottant, il fut vite à ses pieds, et son soutien-gorge à l'autre bout de la pièce. Ils tombaient un peu, juste ce qu'il faut. Les seins, je parle des seins. Avec des aréoles très larges, mais vraiment très larges, rehaussées de petits picots, comme ces cuirs colorés dont on fait des ceintures, ou alors…

201

– Des morilles, dit-elle, ne cherche pas.

– Des quoi ?

– Mes bouts de seins. Ils ressemblent à des morilles.

Elle éclata de rire. Ce que j'avais redouté se produisait. Delphine allait se moquer de moi. Lancer des commentaires sur la taille de ma bite et la forme du prépuce, la qualité du sperme, si sperme il y avait, car c'était plutôt mal barré.

– Qu'est-ce qui t'arrive ? Ça n'a pas l'air d'aller…

Elle se mit à genoux pour parler directement à mon sexe. Puis, ni une ni deux, elle crache dans sa paume qui se referme autour de lui et que je t'enfile, comme on enfile un col roulé, un bon col bien chaud, bien enveloppant, qui va et qui vient avec une maîtrise démoniaque, l'autre main sur le cul cette fois, un doigt qui s'insinue, où a-t-elle appris à faire ça ? Je prononce son nom, j'ai envie qu'elle me prenne dans sa bouche mais ses lèvres résistent, et cette résistance m'excite au plus haut point, puis soudain, tout s'arrête, Delphine relève son visage, elle va parler, elle parle en souriant tristement.

– On a tellement attendu, dit-elle, peut-être qu'il faudrait…

J'ai peur qu'elle me demande d'attendre encore, un jour, un mois, une année, mais là non, je ne peux plus attendre, Delphine, ne serait-ce qu'une minute, il me faut ce ventre, ces seins, cette langue agile, dans quelques instants, je serai à l'intérieur, et de te voir sous moi, je n'en reviens pas. Je n'ai jamais possédé une fille aussi belle. Nos corps bougent bien ensemble, ils se complètent parfaitement.

Delphine semble avoir ravalé ses principes, grand bien lui fasse ! J'ai toujours détesté le contact du caoutchouc, être enfermé là-dedans, ça m'étouffe, je suis claustrophobe de la bite, suis-je le seul à souffrir de ce trouble particulier ? Delphine me présentera l'addition plus tard sans doute, elle m'en voudra, mais bon, plus tard, je m'en moque. Je peux mourir, oui, je donnerais ma vie pour cet instant précis où je vais lui extirper sa vérité, et je suis curieux de savoir…

Mais Delphine, où vas-tu encore ? Tu ne peux pas me laisser en plan…

Je me souviens m'être retenu pour ne pas toucher mon sexe, j'avais peur de jouir dans ma propre main, mais peur aussi de débander, j'étais pris entre les deux extrêmes qui se rejoignent à l'endroit du fiasco. Je me retournai avec maladresse. Penchée au-dessus d'un carton, Delphine cherchait quelque chose. Comment expliquer cette émotion ? Je voyais ses fesses se tortiller, ses jambes parfaites, enfin elle se releva, mais il ne s'agissait pas d'un jouet pour sublimer le plaisir, un de ces anneaux magiques qui retardent l'éjaculation, ce qu'elle tenait dans sa main, c'était un préservatif. D'un coup de dents, Delphine déchira l'emballage et entreprit de m'équiper selon ses fameux principes. Là encore, quel gâchis, comme offrir un bouquet dans un sac en plastique. Je repensai aux mots du journal de Zoé. J'étais une plante à soigner, une espèce rare à protéger, et moi qui me croyais si fort, je me trouvais minable sous sa plume, prêt à être taillé au moindre excès, mis en serre, sous vide, arrosé de mots compatissants. Delphine me donna une petite tape sur la cuisse.

– Alexis, où es-tu ? Je ne te plais pas ?

– Ne dis pas des choses pareilles.

– Tu es intimidé, je t'intimide ?

– Oui, Delphine, tu m'intimides.

Il y eut quelques minutes de silence. Mon sexe en profita pour dégringoler. La capote pendait misérablement.

– Non, Delphine, je ne suis pas intimidé. Enfin, il n'y a pas que ça.

Tout était bon pour justifier la débandade.

– En vérité, je suis allergique au caoutchouc. Et puis…

– Et puis ?

– Je pense à Zoé. Je crois que ce n'est pas une bonne idée de…

Et, comme si je voulais qu'elle me retienne, je me remis à lui caresser la chatte en répétant : je vais y aller, ce n'est pas une bonne idée de…

Delphine repoussa ma main. Elle semblait soulagée, était de mon avis : ce n'était pas une chose à faire dans le dos de Zoé, son amie, sa meilleure amie. Elle regrettait de s'être laissé embrasser (elle ne manquait pas de culot). Nous devions en rester là. Ne plus jamais en parler. Je n'étais pas venu au troisième étage de la rue Sedaine. Elle ne m'avait pas ouvert les bras. Nous allions tout effacer, les morilles et le reste. Le préservatif atterrit près de la poubelle. Jean-Paul s'approcha pour le renifler. Pas touche ! hurla Delphine, puis, plus bas : Tu ne vas pas bouffer ça, quand même. Elle me raccompagna jusqu'à la porte de l'appartement, me claqua deux bises sur les joues, smack, smack, comme si de rien n'était. En bonne copine, smack, smack, et voilà, pensai-je, comment je n'ai pas fait l'amour avec Delphine. Ce n'est pas plus compliqué que ça. Sur le palier, je me retourne pour lui adresser un dernier salut. Delphine est nue, dans l'embrasure de la porte. Je crois qu'elle sourit, et c'est cette image-là que j'aimerais garder d'elle, toute ma vie, son corps parfait, son sourire d'ange, à la dérobée.

*

Zoé a longtemps pensé que je jouais un jeu. Mais il ne s'agissait pas d'un jeu, ma chérie, je ne jouais pas, je n'ai jamais joué, même quand je mettais mes costumes de play-boy. J'étais ainsi, en construction permanente, bardé d'échafaudages et de piquets. J'étais très encombré à l'époque, vois-tu, j'avais du mal à me tenir droit malgré les apparences, et tu ne valais pas mieux. Tu vivais à côté de toi-même, c'était la seule façon de me supporter. Heureusement, tout ça est terminé, bien terminé. Viens sur mes genoux, mon bébé, viens te pelotonner. Je te dirai des choses tendres, comme dans cette chanson que maman chantait souvent. « La vie est parfois trop amère, si l'on ne croit pas aux chimères... »

Reste à éclaircir certains points cependant, certaines phrases qui demeurent obscures. Pourquoi avais-tu écrit qu'il fallait que je couche avec Delphine « une bonne fois pour toutes » ? Chaque jour j'étais retourné au journal dans l'espoir de comprendre ce qui se cachait derrière ces mots. Chaque jour, comme on va aux putes, compulsivement, avec cet appétit sans cesse renouvelé des désirs trop vite assouvis. Chaque jour, comme un drogué va chercher sa dose. J'y trouvais un apaisement de courte durée. Je buvais pas mal aussi. En vérité, tous les deux, nous buvions. Dès le matin, parfois. Ça ne nous faisait plus rien – ou plus exactement, c'était de ne pas boire qui nous faisait de l'effet ; un effet détestable. J'étais très agressif quand j'étais à jeun, l'alcool m'aidait à retrouver mon calme. Enfin, c'est ce que je prétendais. Au fond de moi, dès le deuxième verre, je sentais la violence monter. Une violence sourde, mesurée, dont j'étais la première victime. Et toi, tu venais juste après.

Le moustique inocule un anesthésiant avant d'enfoncer son dard. En bon hypnotiseur, j'entourais Zoé de réflexions inspirées par ses écrits, que je régurgitais à ma façon, l'obligeant à se retrancher dans de drôles de positions, jusqu'à ce jour du mois de septembre où elle se mit à parler d'Enzo dans son journal.

Enzo, l'Italien, son premier mari.

Voir son prénom apparaître sous la plume de Zoé me plongea dans une colère noire. Elle avait envie de lui téléphoner, écrivait-elle. Elle était trop jeune au moment de leur divorce pour bien comprendre ce qui s'était joué, elle avait besoin d'en reparler avec lui. Mais pourquoi se posait-elle ces questions maintenant ? Sentait-elle que notre relation touchait à sa fin ? Elle excusait mes emportements, même dans son journal, elle essayait d'expliquer, plutôt que de juger, et moi j'aimerais savoir : pourquoi ne te plaignais-tu jamais, ma chérie ? C'est à se demander si je n'étais pas exactement l'homme qu'il te fallait. Tu ne m'aurais pas supporté dans une version plus douce, mieux encore, tu avais besoin de ma brutalité pour compenser ton handicap. Enfin ce que tu croyais être un handicap et qui pour moi était une aubaine : tu ne pouvais pas me donner d'enfant (c'est comme ça que tu le formulais, je ne peux pas lui donner d'enfant, et non : je ne peux pas avoir d'enfant, comme si toute la peine était de mon côté). C'était sans doute de cette faille et de ses conséquences dont tu voulais parler avec ton premier mari. Ne m'avais-tu pas laissé entendre qu'il s'était éloigné de toi pour cette raison ? Je ne l'ai pas inventé. L'Italien t'a larguée parce que tu étais stérile. Il désirait un môme à lui. Pas un adopté.

Tu avais peur que je m'éloigne à mon tour et tu cherchais le moyen de me retenir. Mais, ma chérie, je n'avais aucune envie de m'en aller. Nous étions nos propres enfants, il ne nous manquait rien, la famille était au complet. Tu supportais tout de moi, comme on supporte son propre fils. Et le contraire était vrai aussi. Tu étais mon bébé, ma princesse au creux de mon bras. Nous nous maternions mutuellement. Maternions, paternions, à tour de rôle. Existe-t-il, ce verbe, paterner, dans le dictionnaire ? Il semblerait que non. On trouve paternel, et paternité. Maternel, et maternité. On parle de mères poules et de pères poules, jamais de pères coqs. Je n'avais aucune envie d'avoir des petits poussins dans les pattes, combien de fois faudra-t-il le répéter ?

Zoé ne me croyait pas. Elle pensait que je disais ça pour la rassurer, peut-être n'aurais-je pas dû insister : pourquoi me priver de ce moyen supplémentaire de pression sur elle ? D'après le journal, Enzo vivait à Rome. Elle l'appela un soir du bureau. Il avait été « superadorable, vraiment ». Sa voix n'avait pas vieilli, Zoé avait l'impression qu'ils s'étaient parlé la veille.

Superadorable, vraiment, et puis quoi encore ! Je n'en dormis pas de la nuit. Le matin, en posant le pied au sol, le sifflement se déclencha, comme si j'avais appuyé sur la pédale d'un ampli mal réglé. Le même sifflement qu'avant, quand j'entendais trop bien, et toute mon enfance débarqua d'un coup. Je secouai Zoé, l'arrachant au sommeil sous prétexte de préparer le rendez-vous avec le responsable de la RATP. Nous devions le voir le jour même, et il me manquait quelques chiffres pour asseoir ma proposition. Je précédai Zoé dans la cuisine, avalai une bonne rasade de vin blanc et cachai la bouteille. Quand elle arriva, j'avais préparé le café et sorti les tasses. Elle chercha la bouteille du regard. Le larsen s'était installé. J'avais essayé de remettre des bouchons d'oreilles, mais c'était encore pire. Le son restait à l'intérieur, enfermé.

– Tu as perdu quelque chose, ma chérie ?

– Non, non. Je croyais que j'avais laissé mes lunettes dans...

Pas besoin de lunettes, Baby Zoé, tu vois très bien comme ça. Ce que j'ai dans la main, c'est ton journal, eh oui, celui qui parle de ton ex-mari.

Ta mine décomposée, tes cheveux qui pendent, ton air penaud de femme stérile. Je te déteste, oui, à cet instant précis, pardonne-moi Baby Zoé, je t'ai détestée. J'avais envie de te faire mal. Je demandais : « C'est quoi, ça, hein, hein ? » en agitant le cahier sous ton nez, comme j'aurais dit : « Attrapez la queue de Mickey », et tu gardais les yeux baissés, tu ne voulais pas entrer dans mon jeu débile (elle dit ça tout de même, débile, mon jeu était débile). Je lui demandai ensuite pourquoi elle ne m'avait jamais parlé de son journal, pourquoi elle le cachait, et si elle trouvait que c'était un endroit convenable pour accueillir des confessions intimes, le tiroir de son bureau.

– Imagine que Yanis soit tombé dessus par hasard ?

Je m'enflammais, c'est vrai, je n'y avais pas pensé avant, si Yanis avait lu ces lignes, ou Lucas, de quoi aurais-je eu l'air ?

Zoé ne répondait pas à mes questions, ou alors par d'autres questions. Elle se défendait, la garce, me demandant ce que je lui reprochais exactement. N'avait-elle pas le droit, elle aussi, d'avoir son jardin secret ?

– Qu'est-ce que tu entends par « moi aussi » ? Qu'est-ce que tu vas imaginer, explique-toi, allez, accouche…

C'était le verbe qu'il ne fallait pas prononcer. Zoé accusa le coup.

– Tu crois que je vois Delphine en cachette, poursuivis-je, c'est ça ? J'ai deviné ? C'est à cause de Delphine que tu me regardes de travers ? Eh bien tu as raison. Delphine et moi, nous nous sommes vus, figure-toi, je suis allé chez elle, je l'ai… aidée à ranger sa bibliothèque, et d'autres choses encore.

Le visage de Zoé se referma. Je ne sais pas pourquoi je lui disais cela. C'était non seulement faux, mais idiot de ma part. Dans ma colère, je mélangeais tout, avec un seul but : me venger de ce coup de fil qu'elle avait passé à son ex-mari. Et plus que du coup de fil, en y repensant, de la façon dont elle en parlait dans son journal.

– Delphine m'a accueilli à bras ouverts, repris-je en contrôlant ma voix, c'était vraiment touchant.

Je m'enfonçai dans mon mensonge avec la jouissance des enfants qui marchent dans les flaques. Une fois les pieds mouillés, pourquoi s'arrêter ? De la boue ? Oh, oui, de la boue ! De la boue ! On saute, on s'asperge, on se roule dedans, un peu plus on en balancerait sur les autres, de belles mottes dégoulinantes, mais plus on marche, plus on s'enfonce, et à la fin on s'enlise dans les sables mouvants. Alors on attrape la main qui vous est tendue, même si on doit recevoir une roustée en échange, on l'attrape. Il faut bien le payer, tout ce plaisir, toute cette saleté. Tu vois, ma Baby Zoé, Delphine m'a promis de garder le secret, une vraie amie, pour ça, tu peux compter sur elle. Prête à tout pour ne pas te blesser. Mais ton Italien à la con, entre nous, il y a un truc qui m'échappe. Comment peux-tu le trouver « superadorable, vraiment », ce type qui t'a larguée sans préavis…

– Alex, calme-toi !

Le sifflement était toujours là. Zoé essayait de me ramener à la raison, elle voulait que j'arrête de crier.

– Mais je ne crie pas, criai-je cette fois, pourquoi tu dis que je crie ?

C'était plus fort que moi. Je la saisis par les épaules et la fis voler dans la cuisine. Elle s'affala près de la table, se cognant au passage contre le meuble où étaient rangées les assiettes. Il y eut un bruit de vaisselle cassée, puis ce fut la mappemonde qui commença à tanguer avant d'aller s'éclater contre le carrelage.

– Tu sais ce que j'en fais de ton Italien ?

J'allumai le gaz, et, tenant le journal par un côté, commençai à y mettre le feu. La flamme monta le long des pages, je faillis me brûler et lâchai le cahier par terre. Zoé voulut l'éteindre, elle n'avait pas l'air d'avoir mal. Je la gardai à distance.

– Arrête tes conneries maintenant, mais arrête ! C'est dangereux, tu m'entends, dangereux !

Mes conneries, ah oui ? Je n'arrêtai pas. Que tout brûle, que tout disparaisse, et Baby Zoé avec, en guise de martyre. L'incendie détruirait les preuves. Je dirais qu'elle m'avait poussé à bout, qu'elle était alcoolique, se relevait pour boire la nuit, qu'ensuite elle ronflait, et une femme qui ronfle, c'est quoi ? C'est comme une femme qui fume en marchant dans la rue, et vlan, un point en moins. J'apporterai de l'eau au moulin de ces dames, c'est ça, n'hésitez surtout pas, traitez-moi de macho, de phallo, de miso et toutes ces choses en *o* qui vous rendent supérieures, plongez-moi dans le chaudron et touillez, touillez, je sais que vous viendrez me repêcher. Vous viendrez, parce que vous êtes gentilles. Et que vous aurez besoin de moi. Pas pour concevoir des enfants, non, ça, je ne me fais pas d'illusion, on peut très bien se débrouiller autrement aujourd'hui, vous me rappellerez pour parader à mes côtés. Ou pour déboucher les chiottes. Qui parlera des hommes victimes des violences sournoises infligées par les femmes ? À prêcher le faux pour savoir le vrai, à nous rendre coupables de leurs silences, à présenter le bon endroit pour se faire frapper, sans parler de leurs messages contradictoires, cette façon d'exhiber leur féminité, de se promener en tenue de combat, poitrine largement dénudée, et de crier au scandale quand on pose les yeux sur elles. Pauvre poupée sans défense, je t'ai touchée ? J'ai osé porter la main sur toi ? Les mots sur toi ? Il faut que j'arrête... Qu'est-ce que je raconte ? Nous étions dans la cuisine, le feu avait fini par s'éteindre de lui-même, mais les phrases de Zoé n'avaient pas complètement disparu, elles brillaient en relief sur le papier noirci. Elles me narguaient. Je me mis à les piétiner de toutes mes forces, je voulais les casser, les réduire en cendres, de petits coups de talon comme un danseur de flamenco, olé !, je scandais, olé !, voilà ce que j'en fais de ton ex, de ton texte, tout en me disant que l'ex en question n'était pas espagnol, mais italien, Pavarotti, Nino Rota, il y avait erreur sur la musique, mais qu'est-ce que ça pouvait me foutre ? J'étais lancé et tapais de plus belle, olé ! olé !

– Les voisins, supplia Zoé, les voisins...

Quand ses mots ne furent plus que poussière, je remarquai une trace rouge sur son visage. Il m'avait bien semblé que sa tête avait heurté la table en tombant. Je voulus regarder si la blessure était profonde, mais Zoé déjà reprenait la situation en main. Je repensai au premier apprenti paternel, il a la boucherie dans le sang, disait de lui mon père, dans le sang !

– Ce n'est rien, affirma Zoé en attrapant un torchon, c'est juste que la tête, ça saigne.

La tension tomba d'un coup. J'avais envie de me jeter à ses pieds, de lui embrasser les mains. Qu'avais-je fait, mon Dieu, qu'avais-je fait ? J'allai chercher la boîte à pharmacie, j'étais très tendre soudain, je me sentais bizarre. Le coton hydrophile, la bouteille de désinfectant, je suis désolé ma chérie, il n'y a rien d'autre, je crois que ça va piquer. L'odeur de l'alcool, la tête qui tourne, la bande de sparadrap, comment était-ce possible ? Il fallait bien le reconnaître, j'avais envie de Zoé. Pas envie de la soigner, non, envie de coucher avec elle. J'en ressentis une certaine honte. J'étais un sale type, une ordure, et puis non pas une ordure puisque j'avais agi par amour, tu comprends ça Baby Zoé, et c'était reparti, je ne supporte pas l'idée que tu puisses avoir envie de revoir ton premier mari.

Je ne te suffis pas ?

Pourquoi ne retournes-tu pas avec lui s'il est si bien ? Pourquoi restes-tu avec moi, par vocation charitable ? Si je suis jaloux, c'est que je tiens à toi, petite sotte. Si tu t'en vas tout s'écroule, je m'écroule, le *Paradis* s'écroule…

Antoine le disait encore la dernière fois, tu te

souviens de ce qu'il disait au moins ? Que nous avions de la chance de nous être trouvés. Tu mesures ta chance, ma chérie, notre chance, tu la mesures ? Et toi tu irais tout gâcher dans mon dos. Il faut que je t'avoue une chose : avec Delphine, il ne s'est rien passé. Je te le jure sur la tête de ma mère. Ce que je t'ai dit tout à l'heure, c'était pour me venger.

– Tu ne l'as pas, bafouille Baby Zoé, vous n'avez pas...

Non, je ne l'ai pas, nous n'avons pas, je te le jure. Et de l'embrasser. Et de dégrafer la ceinture de mon pantalon...

*

Aurais-je dû demander la permission à ma propre femme de me déshabiller devant elle ? Zoé n'essaya pas de m'en dissuader, elle semblait consentante, quoique totalement passive, et très vite je fus à mon affaire. Le larsen s'éloigna. Si tu revois Enzo, murmurais-je en cadence, m'appuyant sur ses cuisses, si tu revois l'Italien, et je la fourrais sur la table de la cuisine, avec ce mot, l'Italien, l'Italien, il m'excitait, et c'est sur ce son-là, ces trois syllabes martelées, que je sentis la jouissance monter. Je sortis ma queue in extremis : le sperme jaillit sur le ventre de Zoé, une bonne giclée épaisse, comme je les aimais, avant d'essuyer mon gland sur ses lèvres, un coup à droite, un coup à gauche, voilà, je me rhabille. Ensuite, et sans commentaire, j'allai chercher la pelle et le balai. Pour une fois, Zoé ne pourrait pas m'accuser de lui laisser toutes les corvées. Nickel chrome, j'allais lui rendre une cuisine nickel chrome.

Zoé passa vaguement le torchon sur son ventre. Une trace rouge encercla son nombril. Elle ne semblait pas s'en apercevoir. Elle était ailleurs. Tu viens, me demanda-t-elle timidement, on va se reposer un peu ?

Sa voix était celle d'une petite fille qui a peur d'être punie.

– Viens dans la chambre, insista-t-elle, on s'occupera du ménage plus tard.

Comment résister ? J'abandonnai la pelle et le balai. Zoé se consola dans mes bras. Ne voulait pas sortir, enfin, pas tout de suite. Le rendez-vous à la RATP ? On trouverait bien une excuse pour le déplacer. J'avais pris au passage la bouteille de vin blanc entamée, pas besoin de verre, bois, Baby Zoé, bois. Le téléphone sonnait, nous ne répondions pas. Nous étions en état de choc, l'un comme l'autre. Épuisés.

Quand je me réveillai, Zoé était allongée sur le dos, jambes ouvertes – il faisait chaud dans la chambre, on étouffait. Je me mis à caresser son sexe doucement, très doucement, j'aurais aimé qu'elle mouille dans son sommeil. L'entaille sur son front n'avait pas resaigné, ce n'était rien, Zoé avait raison, juste une blessure superficielle. Un peu de sperme avait séché sur son menton, ça lui faisait comme une deuxième peau, un masque de beauté. Était-elle réveillée ?

Je voulais me justifier, m'expliquer, que pouvais-je lui dire ? Que son coup de fil à l'Italien
m'avait rendu fou ? Que je l'aimais au point
d'imaginer qu'il était préférable de vivre sans
elle plutôt que de penser qu'elle allait le revoir ?
Je préparais mes phrases.

– Ce n'est pas de la jalousie, Zoé, à ce point,
c'est de la souffrance…

Non, pas de la souffrance, c'est du… C'est
du… Je ne trouvais pas le mot. Zoé soupira dans
son sommeil et se tourna vers la fenêtre, en
chien de fusil, le coude replié sous sa tête. Avec
son autre bras, elle saisit l'oreiller et le serra
contre son ventre. Ses omoplates étaient drôlement écartées. Son dos était différent de tous
les autres que j'avais connus. Je me levai sans
bruit. Un coup d'œil sur la cuisine, le sol était
jonché de verre cassé, nous avions de la chance
de ne pas nous être blessés en faisant l'amour.
J'étais assez heureux de m'être débarrassé de la
mappemonde, qu'est-ce qui m'avait pris de lui
offrir cet objet ? Je lui trouverais autre chose,
pour remplacer. Un truc lourd et indémodable,
ou un voyage, oui, pourquoi pas un voyage ?
Nous partirions à Venise, Zoé rêvait d'y aller
depuis longtemps, je n'avais jamais voulu, non,
franchement, Baby Zoé, pas nous. Eh bien si,
nous. J'allais me sacrifier pour l'accompagner à
Venise, et j'allais tout payer, tout. Elle ne pourrait rien m'offrir. Orient-Express, palazzo machin,
cappuccino double crème et même les grains
pour les pigeons, c'est moi qui paierais.

217

À défaut de cappuccino, je bus une tasse de café froid, mangeai un bout de pain, allai me raser, et c'est en découvrant mon visage fatigué dans la glace que je compris la bourde immense, la bévue : pour punir Zoé d'avoir parlé à Enzo, j'avais cassé la mappemonde. Et pour remplacer la mappemonde, je voulais lui offrir un voyage en Italie. Décidément, ça ne tournait pas rond. Il fallait que j'aille prendre l'air. Que je me remette d'aplomb.

À peine dans la rue, mes épaules s'allègent. Je me sens bien. Je suis un autre, ailleurs. Comme tout est facile. Une demi-heure plus tard, c'est au *Paradis* que je débarque dans mon costume de play-boy. Lucas m'attend sur le pas de la porte. Il m'accueille avec soulagement, où étions-nous passés ? Il avait essayé de nous joindre, mais personne ne répondait au téléphone. Qu'avais-je inventé ? C'est drôle, je ne m'en souviens plus. Sans doute avais-je prétendu que Zoé s'était trouvée mal dans la cuisine, rien de grave mais, en tombant, elle s'était cognée contre le coin de la table.

– Elle s'est blessée ?

– Rien, trois fois rien, juste une égratignure, là, près des cheveux. Zoé a la tête dure. Elle dort, maintenant. Je l'ai laissée se reposer à la maison. Tu l'aurais vue, serrant son oreiller comme un gros nounours. Parfois je me demande si elle n'a pas huit ans.

– Pourquoi huit ans ? On dort encore avec ses peluches, à huit ans ?

– Je ne sais pas, je n'ai jamais eu huit ans.

Lucas ne releva pas. Mon père trouvait que les peluches, ça faisait fille. Ce n'était pas méchant, il préférait nous offrir des camions. Évidemment, pour s'endormir, les camions...

*

Pierre-Henri Cassier avait une coupe au bol courte et de drôles de lunettes qui devaient coûter les yeux de la tête. Ses oreilles étaient pâles, trop grandes, pensai-je, pour être convenablement irriguées. Son assistante demanda si nous désirions du café ou quelque chose, mais je n'eus pas l'opportunité de lui répondre : Non, Virginie, pas de café, nous avons perdu assez de temps comme ça.

Visiblement, Pierre-Henri nous en voulait d'être arrivés en retard. Le projet lui paraissait toujours aussi pertinent, mais il doutait de notre capacité à le mettre en œuvre. En conséquence, il nous proposait de nous associer à une autre boîte avec qui il travaillait de façon régulière, plus compétente d'après lui, et nous eûmes toutes les difficultés du monde à lui faire admettre que nous étions propriétaires de notre idée. Il n'était pas question que nous nous laissions déposséder. Vous entendez, monsieur Cassier ? Pas question. Au bout de dix minutes, à peine, son assistante frappa de nouveau à la porte, oui, Virginie, quoi encore, vous ne voyez pas que je suis occupé ?

– Votre réunion, rappela-t-elle, la voiture vous attend.

Un coup d'œil à sa montre, une main pour vérifier la bonne tenue de sa frange, Pierre-Henri Cassier se déplie, se lève, non mais je rêve ! il s'apprête à nous planter comme des moins que rien. Je n'allais pas me laisser faire, je voulais des explications, et la colère acide ressentie en brûlant le journal de Zoé remonta d'un coup dans ma gorge. Pourquoi n'étions-nous pas assez compétents, d'après lui ? Avait-il des preuves de ce qu'il avançait ? Avait-il contacté certains de nos clients ? Tous louaient notre sérieux (et Lucas de confirmer), ce n'étaient pas vingt petites minutes de retard qui allaient compromettre des semaines, que dis-je des semaines, des mois de travail.

– Vingt minutes, insistai-je, pas trente, pas quarante, vingt !

Pierre-Henri haussa les épaules. Son costume n'arrivait pas à la cheville du mien. Quant à sa coupe de cheveux, pas de commentaire.

– Vous savez ce que représentent vingt minutes à l'échelle du trafic de la RATP ? lâcha-t-il d'un air supérieur. En nombre de voyageurs, vous avez une idée ?

Encore un petit coup sur le devant de sa veste, la cravate, et que je tire sur mes manches en avançant vers la porte. Je me plaçai juste devant lui, trop près, beaucoup trop près, pour l'empêcher de sortir. Il essaya de me pousser, je résistai. Je mesurais quinze bons centimètres de plus que lui. Vous plaisantez, ricana-t-il en essayant de me contourner, monsieur Leriche, voyons, vous plaisantez, mais je ne plaisantais pas. Je lui mis le marché en main : s'il nous éjectait comme des malpropres, il pouvait dire adieu à Signoret. Je ne sais pas pourquoi, c'est elle qui me vint à l'esprit, ni Piaf ni Arletty, ni même le général de Gaulle, non, Simone Signoret, l'actrice préférée de maman. Nous étions les seuls sur le marché à pouvoir ressusciter sa voix. Nous en possédions et l'expérience et la technique.

– Faites-nous confiance, repris-je en baissant d'un ton. Nous ne nous appelons pas le *Paradis* pour rien. Vous ne le regretterez pas, je veillerai personnellement à ce que votre nom soit cité dans le dossier de presse. Imaginez l'impact médiatique sur votre carrière…

Pierre-Henri retourna d'un pas mal assuré derrière son bureau. Ses lèvres avaient disparu, happées par cette inquiétude qui se lisait aussi dans ses yeux. Comment pouvait-on avoir de telles responsabilités et se dégonfler si facilement ? Qu'est-ce qu'on leur apprend dans les grandes écoles, j'aimerais bien le savoir, à quoi elles ont servi, toutes tes années d'études, mon gros loulou ? Car il était gros, un faux gros, mais un gros quand même, de ceux qui prennent du ventre prématurément. Un stage à la Bonne Chair, voilà ce qui manquait dans son CV. Porter un quartier de bœuf sur l'épaule ou découper à la scie la colonne vertébrale d'un pourceau, ça vous sculpte un homme. Mais non, il était là, le Pierre-Henri, persil dans les narines et mains tripotant stylo, souris, trombone et tout ce qu'elles trouvaient sur la table – on a les amulettes qu'on mérite.

– Et alors, lançai-je, qu'est-ce que vous attendez pour déplacer votre réunion ? Une petite heure, ça devrait nous suffire. Qu'est-ce qu'il en dit ? Possible ? Impossible ?

– Bien sûr, monsieur Leriche, bredouilla-t-il, possible. Je vais voir ça avec Virginie.

Il décrocha le téléphone et appuya longuement sur la touche étoile. Une sonnerie retentit à l'autre bout du fil.

– Précisez-moi, me demanda-t-il après avoir raccroché, quels sont les artistes pressentis pour la ligne 8 ?

Je fis un rapide check-up de mes connaissances et, comme je ne savais plus du tout où passait la ligne en question, improvisai une liste de personnalités aux voix remarquables, comme par hasard tous (je m'en rendrais compte plus tard, décidément, Lorenzo me collait aux basques) d'origine italienne, Jean-Paul Belmondo, Léo Ferré, Fabrice Luchini... À peine avais-je prononcé ces trois noms que deux hommes de la sécurité débarquaient dans la pièce. Pierre-Henri était non seulement couard, mais faux cul, et c'est en le toisant de toute ma superbe que je décidai de quitter les lieux, laissant Lucas derrière moi, Lucas qui ramait pour justifier mon attitude – sa femme a eu un accident ce matin, expliquait-il, monsieur Leriche n'est pas dans son état normal...

Qui allait croire ces balivernes ? Je marchai lentement vers la sortie, renversant au passage la pile de gobelets posée sur la fontaine à eau, impossible de m'en empêcher. Les sbires firent semblant de ne rien remarquer, ils ne voulaient pas d'embrouilles semblait-il, je devais les im-pressionner, et peut-être même étaient-ils de mon avis, Cassier était un pauvre type qui n'irait pas bien loin dans la profession. Quel-ques minutes plus tard, j'étais au comptoir du café le plus proche devant un double whisky. La RATP ne méritait pas que nous nous mettions à son service, nous allions proposer le projet à la SNCF, voilà ce qui allait se passer. Salvador Dalí annonçant l'arrivée en gare de Perpignan, ça aurait de la gueule, non ? Eh oui, le fils Leriche connaît Perpignan, et Dalí, et même Gala et le chocolat Lanvin, ça vous en bouche un coin Pierre-Henri machin-truc ? Je repris un whisky. J'étais très remonté. Je ne savais pas qu'une autre nouvelle allait nous tomber dessus. Une lettre recommandée, qui allait tout compliquer.

*

Jamais page tournée ne fit autant de bruit. Le courrier en question venait de l'URSSAF, l'orga-nisme qui gérait les cotisations sociales. Elle arriva un matin à l'heure du café, deux semai-nes jour pour jour après le rendez-vous à la

RATP, à se demander si Pierre-Henri n'y était pas pour quelque chose. Compte tenu de leurs informations, Mme Leriche Zoé ne pouvait être considérée comme une simple bénévole, encore moins comme une stagiaire, et devait à ce titre être rattachée au régime général des salariés. La caisse se mettait gracieusement à notre disposition pour nous aider à compléter les formulaires et nous informer des exonérations éventuelles de pénalités.

Chacun y alla de son anecdote. Nous ne serions pas les premiers à tomber dans le collimateur de l'URSSAF, il fallait nous attendre au pire. Chaque contrat serait épluché, chaque facture vérifiée, et Yanis qui s'y connaissait un peu me conseilla de prendre cet avertissement au sérieux. Je convoquai aussitôt une assemblée extraordinaire. Delphine insista pour que nous nous retrouvions en fin de journée dans son nouveau chez-elle, en terrain neutre, et loin des bureaux du *Paradis* où pourrait surgir à tout instant, paranoïa aidant, un inspecteur bardé d'armes comptables d'une redoutable efficacité. J'étais dans un état d'agitation peu ordinaire. Il me semblait aberrant de devoir déclarer ma propre femme, déclarer, comme on déclare une guerre, j'étais intarissable, qu'ils viennent la baiser pendant qu'ils y étaient, mais lorsque je demandai son avis à Antoine, je tombai de haut. Pour lui, c'était normal de déclarer Zoé. Plus que normal : important.

– Et sa retraite ? Et si elle tombe malade ?

– Si elle tombe malade ? Je la soignerai, répondis-je en passant la main dans les cheveux de Zoé. Ce n'est pas plus compliqué que ça.

Zoé se recoiffa. Elle n'aimait pas quand je la décoiffais, c'était un sujet de chamaillerie entre nous.

– Et si vous divorcez ? renchérit Delphine.

J'accusai le coup en serrant les dents. Pourquoi parlait-elle de séparation, devant Zoé de surcroît ? Delphine m'en voulait-elle pour l'autre jour ? Non, plus tard, elle me dirait que non. Nous avions fait exactement ce qu'il fallait faire, ou plutôt nous n'avions pas fait ce qu'il ne fallait pas faire (et maintenant, motus, Alex, on ne revient plus sur le sujet, tu m'as entendue ? plus jamais). En ce qui concernait Zoé, Delphine ne comprenait pas mon acharnement à refuser de lui signer un contrat de travail en bonne et due forme. Car j'en étais arrivé là : la somme qu'on nous réclamerait serait tellement élevée, d'après les calculs de Lucas, que je ne voyais pas d'autre solution. Il fallait revendre le matériel et dissoudre le *Paradis* après avoir remboursé les dettes, sinon tout allait retomber sur le dos d'Antoine. Et ça, il n'en était pas question.

– Pourquoi, sur le dos d'Antoine ? demanda Yanis.

– Parce que je suis l'heureux président de cette formidable association, répondit Antoine qui se voyait déjà derrière les barreaux pour malversation financière. Voilà pourquoi.

Yanis s'excusa. Comment aurait-il pu le deviner ? Les assemblées générales se déroulaient sans lui, et d'ailleurs le plus souvent sans personne. Elles n'existaient que sur le papier, pour la forme. Nous étions censés nous réunir au minimum tous les ans, valider le budget et je ne sais quoi encore, c'était inscrit dans nos statuts, mais il semblerait bien que ce n'ait jamais été notre priorité.

– Une autre solution, proposa Delphine en caressant Jean-Paul qui était apparu soudain sur ses genoux, serait de tout donner à un comptable extérieur et de repartir sur des bases saines.

Allait-elle reparler de l'argent que je lui devais ? Non, elle continuait, très remontée par la perspective de jouer un rôle déterminant dans les travaux d'assainissement du *Paradis*.

– On étale les remboursements, on embauche Zoé à temps partiel, au besoin on prend des bureaux plus petits. Ou alors vous venez vous installer chez moi, provisoirement, il y a de la place. Ça ne marche pas avec la RATP ? Ce n'est pas la fin du monde. On se lance à fond dans les commentaires de films animaliers, c'est là qu'il est, l'argent, sous le sabot des yacks.

Lucas et Yanis applaudirent. J'étais consterné. Je leur parlais Simone Signoret et Patrick Modiano, ils me répondaient iguanes et gibbons dorés. Nous ne jouions pas dans la même cour. Il n'était pas question de revenir en arrière, comme mon père avait été obligé de le faire à la fermeture de la boucherie. Côté humiliation, on avait assez donné dans la famille.

– Et puis nous allons rouvrir la filière « Real Estate », insista Delphine. Ça marchait bien, les annonces immobilières, non ?

Les garçons confirmèrent à l'unisson. Ils commençaient à m'énerver ces deux-là, totalement babas devant Delphine, et voilà qu'Antoine se rangeait de leur côté – Antoine, mon ami fidèle, celui que j'avais protégé dans les couloirs du lycée, celui pour qui j'aurais vendu mon âme. Le sol se dérobait sous mes pieds. Si Antoine m'abandonnait, j'étais perdu. Zoé me voyant si désemparé prit ma défense, expliquant qu'elle-même n'avait jamais demandé à être déclarée. Pourquoi payer des cotisations, des impôts, des taxes supplémentaires quand on pouvait y échapper ? Pour elle, l'important, c'était que le *Paradis* s'en sorte. Elle n'avait aucune envie que tout s'écroule, par sa faute.

– Mais ce n'est pas ta faute, s'exclama Antoine, tu n'as pas l'air de comprendre. Tu travailles quinze heures sur vingt-quatre assise derrière un bureau, ça mérite un salaire, non ?

– Quinze heures sur vingt-quatre, rétorquai-je, mais à faire quoi, d'après toi ? À tenir son journal intime, à donner des coups de fil personnels...

Zoé bondit de sa chaise, toutes griffes dehors. Je ne l'avais jamais vue dans cet état.

– Je ne te laisserai pas dire ça, Alex. Tu sais très bien que c'est faux.

Lucas entra à son tour dans l'arène. Je le fusillai du regard, il baissa les yeux.

– Alexis, il faut le reconnaître, bégaya-t-il, sans Zoé, le *Paradis* n'existerait pas.

– J'ai une idée, avança Delphine en levant ses deux mains pour calmer le jeu. On va demander conseil à Julien Carsenti, tu te souviens de Julien. Il aura sûrement...

Je ne la laissai pas terminer sa phrase. Il ne manquait plus que lui, l'homme providentiel de la chambre de commerce, et pourquoi pas l'Italien pendant qu'on y était ! Et mon frère, tiens, on n'avait qu'à convoquer mon frère aussi, ma demi-sœur, mes neveux, la famille allait s'en mêler, Klara de la caravane, et tout le monde apprendrait que j'étais un sale type qui exploite sa femme, un proxénète, disons le mot, doublé d'un escroc, abonné aux dessous-de-table et autres blanchiments à la petite semaine, car voilà ce qui allait arriver : il suffirait de plonger dans les comptes du *Paradis* pour comprendre pourquoi je payais toujours le restau en liquide et donnais des pourboires exubérants. Cet argent n'entrait dans aucune comptabilité, c'était pour cela que l'association capoterait après le passage de l'URSSAF, plus encore que pour des raisons de cotisations impayées, même si tous (et moi en tête) faisions semblant de l'ignorer. Et Antoine de repartir à l'assaut : Réfléchis, Alex, disait-il, une employée de plus, ce n'est pas le bout du monde. Le *Paradis* a les reins assez solides pour...

– Ce n'est pas une employée, Antoine, tu es bouché, ma parole ! C'est ma femme ! Zoé est *ma femme* !

Les trois me regardèrent en silence. Yanis et Lucas avaient l'air navrés. Jean-Paul montait la garde sur le rebord de la fenêtre. La table de la cuisine était en ardoise, elle devait peser des tonnes. Il n'était pas question de la renverser et de partir en claquant la porte. Dommage, ça aurait eu de la gueule, et rien de ce qui allait se passer ne serait advenu, rien, j'en ai la gorge qui se serre en y repensant.

– Bien, très bien, dis-je entre les dents. Puisque vous êtes tous contre moi…

*

Je n'avais pas renversé la table, effectivement, c'était au-dessus de mes forces, mais j'étais parti tout de même en claquant la porte, et je crois qu'un des cadres de l'entrée s'était décroché. À moins que ce ne fût déjà dans ma tête que tout ça se passait, l'ardoise, la porte, le bruit du tableau qui tombe, et ces regards posés sur moi entre inquiétude et consternation. Je ne savais plus où j'en étais. Il fallait que ces sifflements cessent, car ils avaient profité de l'occasion pour revenir s'incruster, à gauche surtout. Je parle de sifflements, au pluriel, voilà qui était nouveau. Il y avait la ligne principale, régulière et tenace, et d'autres qui attaquaient par intermittence, comme si mes oreilles communiquaient entre elles par des signaux de morse qu'elles seules pouvaient décrypter. Mais ce n'était pas tout : j'avais mal à l'estomac, et cette douleur encore qui me serrait les côtes... Je n'avais pas peur de mourir (enfin c'est ce que je prétendais), c'était autre chose de bien plus grave. Mon cœur battait de façon désordonnée. Je devais me faire soigner cette fois, aller le plus vite possible aux urgences. Je me revois sur le pont Cardinet, me dirigeant à grands pas vers l'hôpital qu'un commerçant m'avait indiqué, au-delà du périphérique. Les gens s'écartaient sur mon passage, ils me prenaient pour un fou, et peut-être étais-je fou, au fond, on le serait à moins. Une petite fille en tricycle ne se gara pas assez vite, je la franchis d'un bond comme on saute une haie, j'étais assez content de moi, de mes capacités physiques, et je me souviens m'être dit qu'il serait dommage de claquer en si bonne santé. La mère de la fillette voulut m'arrêter, je l'envoyai promener, qu'est-ce qu'elle radotait cette connasse, je n'y avais pas touché, à sa môme. Je ne comprenais pas ce qu'elle me reprochait. J'avais l'impression de devenir sourd, oui, c'est ça, je devenais sourd, les sifflements étaient en train de tout envahir et, d'une minute à l'autre, je n'entendrais plus rien. Je ne pouvais pas attendre, j'entrai dans la première pharmacie et demandai qu'on appelle le Samu. Comme le pharmacien semblait hésiter, je ressortis pour reprendre le chemin à pied, il y avait des embouteillages, le temps que les secours arrivent, il serait trop tard. Mon cœur cognait contre mes oreilles, mes tympans en guise de tambour, bientôt ce serait tout un orchestre qui

viendrait à ma rencontre, une parade monstrueuse qu'il faudrait traverser à contre-courant.
Je m'entendais proférer des insultes à toutes ces
choses absurdes qui se mettaient en travers de
mon chemin, les feux de signalisation, les vélos,
les poussettes, et tant que je m'entendais, pensai-je, je n'étais pas sourd. Et tant que je marchais, je n'étais pas mort.

– Je ne suis pas sourd, criai-je aux automobi-
listes qui klaxonnaient, mais était-ce bien certain ? L'angoisse remontait. C'était à se taper la
tête contre les murs et, d'ailleurs, je la tapais,
cette tête qui me faisait tant souffrir, de grandes
gifles sur les tempes avec mes mains, les deux
en même temps, comme pour regonfler un
coussin. Je revoyais Delphine se tapotant les
joues du bout des doigts (un geste bien à elle),
belle Delphine, divine Delphine, je ne pouvais
pas mourir avant de l'avoir sautée. Ça ne servait
à rien de courir, il fallait que je me calme. Que
je pense à des choses agréables. Le petit bourre-
let qui dépasse de la bretelle du débardeur,
tout mignon, tout ferme ; le creux de la taille
serré par des mains invisibles, mes grandes mains,
je l'attire, elle résiste un peu, s'il n'y avait pas
ces sifflements… Je me mis à chanter, des notes,
au hasard, pour essayer de les couvrir. Une
mélodie s'imposa. Une chanson qui venait de
loin. Maman, assise devant la machine à coudre, le son si particulier de son poste de radio,
un jingle annonce les nouvelles, la journée sera
longue – je ralentis le pas. Parfois, c'était trop

chaud (la pédale, je parle de la pédale), son pied nu se relevait d'un coup à la façon des chats qui touchent de l'eau. Plus tard, il y aurait de la fumée – c'est moi qui la remarque en premier ! Moi qui sauve la maison de l'incendie ! Je suis récompensé (un paquet de guimauves que je garde longtemps fermé). La nouvelle machine à coudre aura un bruit plus doux. Elle ne patinera plus au démarrage, mais il faudra emprunter de l'argent. Multiplier les commandes pour payer les traites.

Ça pue, bordel, qu'est-ce que ça chlingue ! Je relève le col de ma veste et le plaque sur mon nez. Je suis le gangster sournois ! Le désaxé du périphérique ! Je suis entre deux villes, deux états, les voitures s'écoulent au ralenti en contrebas. Qui me cherche ? Qui me veut ? Mademoiselle ? Madame ? Je suis à prendre ! Un rond-point, des bacs à fleurs, enfin voilà le panneau qui indique la direction de l'hôpital. J'arrive au bout de mes peines, je prononce ces mots et ils me font sourire. Au bout de mes peines, il y a quoi exactement ? D'autres peines ? Du plaisir gratuit ? Le petit Leriche a-t-il seulement le droit d'y toucher, ou est-ce réservé à l'élite ? Une grande piscine pleine de filles splendides qui ne demandent qu'à être enfilées. Hourra ! Un beau collier de fesses, de seins, et mon sexe en guise de pendentif. Un pendentif qui ne pend pas, pensez-vous !

J'essaie de me concentrer sur la chanson maternelle, des bribes de paroles dansent devant moi, l'impression qu'elles chatouillent mes lèvres, avant c'était une Omnia (la marque de la machine), et après... après... Une Singer Neptune ? Je ne sais plus, ils en ont tellement parlé à table, mon père voulait acheter la plus chère, maman hésitait, il s'était mis en colère, qu'est-ce qu'elle croyait, qu'ils étaient des pouilleux ? Des miséreux ? Elle pouvait se payer une Singer, tout de même, c'était son outil de travail, il n'était pas question de lésiner, des crissements de pneus, une voix hystérique, c'est vert, imbécile !

— Ta gueule, pétasse !

C'est une femme au volant, je ne vais pas me priver. Elle ne sortira pas de la voiture pour me casser la gueule – pourtant, c'est bien ce que je mériterais, hein ma Baby Zoé, qu'est-ce que tu dis de ça ? Elle est là aussi, la différence, à l'endroit de l'affrontement physique, combat de coqs et compagnie. Jusqu'au jour où je tomberai sur une hystérique armée d'une bombe lacrymogène. Pourquoi je dis *hystérique* ? Par habitude, ma chérie, ne fais pas cette tête-là, au fond je ne le pense pas, tu le sais bien, je suis un bon garçon, comme dirait Antoine. Je marche et marche encore, ce boulevard est interminable et insondable la connerie du responsable de la RATP avec sa coupe au bol. Appeler ses sbires pour me foutre dehors, il va le regretter, et si c'est lui qui nous a mis l'URSSAF aux trousses, je plains sa famille. Je hurle son nom, je crois, ou son prénom, oui, je l'appelle par son prénom.

– Pierre-Henri, fais gaffe à ton cul ! Ton cul !
Ton cul !

Qu'il est joli, ce mot, associé à la ronde figure
de Pierre-Henri. Je glisse mes mains sous ses
bras et le soulève, il est léger comme une plume !
Je l'aurais cru plus lourd. Ou alors je suis
devenu très fort, oui, quelque chose m'arrive et
qui me dépasse, je suis d'une puissance incroyable, je sais très bien ce que je dis, incroyable et
si les gens me regardent à la dérobée, c'est bien
que je suis redoutable. Je délire ? Qui a prononcé ce mot ? Grande fatigue soudain. Je lutte
contre l'effondrement, en équilibre sur la crête,
je sens la transpiration ; mon odeur me rassure.
J'ai envie de pisser, tiens, encore un truc à inscrire sur la liste des privilèges masculins : la pla-
nète entière est mon urinoir ! Vite fait bien fait
entre deux poubelles, la gougoutte pour le slip
et c'est reparti. Comique et désespérant. Un
passant téléphone, est-ce qu'il appelle les flics ?
Il faudra dix hommes pour me contenir quand
un regard de femme suffit à me liquéfier. Les
yeux de cette inconnue qui vient à ma rencontre. Elle est pas mal, je la baiserais bien. Je la
croise, je lui adresse mon sourire irrésistible,
celui qui part en coin, celui du nageur de crawl,
nous marchons quelques pas et puis, au même
instant, elle se retourne, je me retourne, c'est
un moment de grâce – nous le laissons filer.
Que disait Klara ? Un retard dans l'accomplissement. Je suis un ours blanc et je marche comme
lui. Boum, boum, élastique, boum, boum, je

danse sur la piste du cirque ! Je suis l'animal et le montreur d'animaux, la petite fille et le cerceau. Je chante à tue-tête en remuant les bras. Bientôt, les fenêtres s'ouvriront et on me lancera des pièces de monnaie enveloppées dans du papier journal. Je les ramasserai en criant Merci ! Merci ! Je vous aime ! et j'enverrai des baisers comme une star américaine qui descend de l'avion.

– Merci ! Merci !

J'ai prononcé ces mots un peu trop haut, je crois, des fenêtres se sont ouvertes, effectivement, mais ce ne sont pas des pièces qui tombent autour de moi, ce sont des regards méfiants, comme pour le barbecue. Ils se plantent dans mon dos, olé ! Je ne suis plus un ours, ni un danseur de flamenco, je suis un taureau furieux avec deux jets de fumée qui sortent des narines. Cette manie de lire l'horoscope... Je m'arrête pour reprendre mon souffle, encore ce point entre les côtes, j'avale mon ventre, la douleur s'évanouit. Par une fente entre deux immeubles, j'ai cru voir un oiseau. Il s'est engouffré à toute vitesse, une mouette, on aurait dit une mouette – mais non, patate, c'est un pigeon. Le nom de la couleur m'échappe. Ventre-de-pigeon ? Gorge-de-pigeon ? L'odeur de la pattemouille, très particulière, et celle du chlore, j'ai conscience de tourner en rond, quoi encore ? Ce soir précis où ma mère devait finir à la main l'ourlet d'une robe. Elle s'était installée sur le canapé, moi à côté d'elle, mon père dans son fauteuil, et c'est là que Modiano nous était apparu à la télévision. Le choc. Je ne me souviens plus de son visage, mais sa voix de l'époque, je l'entends en marchant. Et plus que sa voix, son phrasé très particulier, comme s'il parlait en transparence de lui-même. Ça m'avait frappé, moi qui toute ma vie m'exprimerais d'un trait – du tranchant de la voix. Comment pouvait-on laisser quelqu'un comme lui passer à la télé ? Cette impression, inoubliable : il est là devant nous, nu comme un ver, sans rien pour le protéger, et personne ne s'en inquiète. Mon père, ma mère, tout continue comme si de rien n'était.

Il y a des travaux de l'autre côté du périphérique, des hommes en combinaison orange, des barrières vert cru. Ça donne le vertige, une grue, personne dedans, mais elle bouge quand même. Les passants m'ignorent. Suis-je devenu invisible ? Non, un jeune homme m'adresse la parole, sa maigreur est tenace, il sent le mauvais vin. Ses yeux injectés de sang cherchent les miens. Il me demande du fric, il a besoin de fric, ne serait-ce que quelques pièces ou un ticket restaurant pour s'acheter à manger. Il a un truc dans la main – C'est quoi dans ta main ? Un cran d'arrêt ?

En guise de réponse, il porte l'objet à ses lèvres et en sort trois notes distordues. Et ces notes, comment expliquer ça, ces notes je les connais. Je les reconnais. Elles me font du bien. Elles adoucissent les sifflements.

– Joue encore, joue pour moi, s'il te plaît.

Il n'y a plus d'un côté mes oreilles et de l'autre l'instrument de musique. Il y a un ensemble de sons qui s'annulent mutuellement. Ma tête s'éclaircit.

– De la tune, répète le garçon, j'ai besoin de tune, ce que tu as, n'importe quoi, prends mon harmonica en échange. J'en ai un autre, ne t'inquiète pas, prends celui-ci, allez, te fais pas prier, il te portera bonheur.

Du bonheur ? Et pourquoi pas. Je sors quelques billets de ma poche, tout ce que j'ai, je n'en ai plus besoin. Le type veut m'embrasser, il lui manque deux dents et les autres ne sont pas fameuses, je ne devrais pas le repousser, ce n'est pas gentil, je suis plein de compassion à son égard, si jeune, si abîmé, j'aimerais l'adopter, lui payer des prothèses, mais je le repousse quand même parce qu'il pue vraiment trop. Il bondit, me saisit le cou par surprise. Nous luttons un instant, je profite d'un moment de déséquilibre pour m'enfuir. C'est sa peau que je sauve, vous entendez ? Sa peau.

L'entrée de l'hôpital est là, il suffit de traverser le boulevard, alors tout va très vite, beaucoup plus vite que prévu. Un hurlement me crève les tympans, une moto qui freine, un coup de cutter dans le dos, mes ailes se déploient et je vole, je vole ! L'instant d'après, je me réveille dans un lit très blanc. Il n'y a plus de temps, juste des images. Pourquoi me font-ils dormir sur une alaise en caoutchouc ? On surveille ma tension.

Je suce une glace à l'eau, ma langue est verte et mon père s'exclame : Oh ! le joli petit oiseau. Delphine m'enfile un préservatif, le même, toujours le même, je crois que je rêve en boucle, oui, c'est certain, je suis en train de rêver. Une poche de liquide pend au bout d'une perche. Je suis devenu ma mère dans son lit d'hôpital, mais où est ma perruque ? Sur la table de nuit, il y a l'harmonica. J'aimerais en tirer les notes magiques, comme dans ce western, mademoiselle, ne partez pas, comment s'appelle ce film avec Charles Bronson ? La jeune femme s'éloigne, j'essaie de me lever, j'aimerais bien la suivre. Mes jambes sont lourdes, tellement lourdes, et mes paupières aussi. Ou alors je n'ai plus de jambes et mes yeux sont collés. Je ne suis pas devenu sourd, je suis devenu aveugle. Une odeur de désinfectant… Si je m'agite, rien ne bouge, et quand je tombe, l'air me retient. Peut-être suis-je attaché au lit par des sangles solides. C'est plutôt rassurant. La journée est finie, le bruit s'apaise. Par la fenêtre, c'est la nuit. Je vais enfin savoir ce qu'il y a de l'autre côté de la vie. Alors ? Alors ? J'ai oublié.

VIII

Tout le monde prétend que j'ai eu de la chance, une chance de cocu, je suis un rescapé. Le cul bordé de nouilles, s'exclame mon père dans la foulée, et puis il le regrette. Je suis là, mon petit, murmure-t-il en se penchant vers moi, je suis là, et je nous revois, chialant tous les deux comme des gosses.

J'ai perdu le contrôle de mes jambes, voilà comment on parle des conséquences de l'accident. On ne dit pas encore que je suis paralysé, même si en l'occurrence je le suis. On affirme que je pourrai récupérer, sans doute pour me donner du courage. Ce mot, combien de fois prononcé ? Récupérer, comme on récupère une bagnole à la casse. Pour le moment, je reste à l'hôpital, en révision. Je pense souvent au médecin scolaire. À chaque problème, disait-il, sa solution. En attendant de la trouver, je dois me laisser aider gentiment pour tout, pisser, chier, manger, me laver. L'alcool m'est interdit, j'avale des litres d'eau minérale.

On parle beaucoup de mes jambes, mais de ce qu'il y a entre les jambes, il n'en est pas encore question. Je me touche souvent sous les draps trop petits de l'Assistance publique pour vérifier que tout est bien en place, et tout est bien en place, plastiquement parlant. Le problème, c'est que je ne sens rien. Il m'arrive de bander pourtant. Je le dis au médecin, il me félicite comme on félicite un élève qui travaille bien en classe.

– Vous souffrez, explique-t-il, de troubles de la sensibilité. Je vais être très franc avec vous, Alexis...

Quelqu'un frappe à la porte juste à ce moment-là, le médecin s'interrompt. Il ne terminera jamais sa phrase. Que voulait-il me dire, si franchement ? Des étudiants viennent se placer en demi-cercle autour de nous. Deux filles plus jolies que les autres se tiennent un peu à l'écart. La plus petite a une paire de seins à tomber par terre, sa blouse a dû rétrécir, elle n'arrive pas à la fermer. Le médecin poursuit son interrogatoire, me demandant devant tout le monde (filles et jolies filles comprises) si j'ai gardé le contrôle de mes sphincters – en clair, est-ce que je peux contracter volontairement mon trou du cul. Il ne dit pas « trou du cul », mais *anus*, et au seul souvenir de ce mot je me mets à transpirer. Je repense à Delphine, souvent elle se plaignait des hommes qui la sifflaient dans la rue. T'es mignonne, tu baises ? Tu baises pas ? Avec des nibards pareils ? Quoi, « Ta gueule », on n'a plus le droit de faire des compliments ?

Je n'avais jamais vraiment porté attention à ce qu'elle disait, elle n'avait qu'à s'habiller autrement si elle ne voulait pas attirer l'attention des hommes, mais ce jour particulier, de mon lit d'hôpital, je compris ce qu'elle ressentait. Jusque-là, je ne connaissais pas la honte, pas ce genre de honte tout du moins – la honte sociale, oui, celle qui m'incitait à emprunter les livres sous un faux nom à la bibliothèque, mais ce genre d'humiliation en public, c'était nouveau. Les jolies étudiantes n'avaient pas prononcé un mot, pourtant, ni adopté un comportement déplacé : leur seule présence était un affront.

Le médecin prit-il conscience de la situation ? Il ne répéta pas la question. Se contenta de me demander si ça marchait (geste vague) de ce côté-là. J'essayai de me concentrer, oui, je crois que ça marche, répondis-je d'une voix étranglée. Le médecin me félicita encore. C'est formidable, vraiment très bon signe, déclara-t-il en se tournant vers les étudiants, les filles souriaient largement, un peu plus et elles allaient applaudir. On ferait dès que possible des examens complémentaires. En attendant, je devais soigner le reste – ma jambe droite, salement amochée (ça se voyait à la grosseur des hématomes, mais je n'avais pas mal). Mon coude aussi avait morflé, ainsi que mon poignet droit, et là, ça lançait un peu, surtout la nuit quand la poche était vide.

Heureusement, il y avait Baby Zoé. Cette chaleur dans la poitrine, cette émotion à fleur de peau, était-ce la morphine ? Chaque fois qu'elle passait le seuil de la chambre, je me sentais rempli d'un sentiment très doux, de la reconnaissance peut-être, je ne savais pas nommer ce qui m'arrivait. Elle avait inauguré un nouveau cahier dans lequel elle écrivait tous les jours, surtout en ce moment, ça l'aidait à surmonter l'épreuve. Elle n'essaierait plus de le cacher et comptait sur moi en échange pour ne pas l'ouvrir – évidemment, ce serait la première chose que je ferais en sortant : envoyer Zoé acheter des médicaments et profiter de son absence pour lire son journal (aucune révélation, mais au moins, je serais rassuré).

À l'hôpital, les jours passaient lentement. Assise près de la fenêtre, store baissé, Zoé ressemblait de plus en plus à la jeune fille à la perle. Son teint pâle et lisse, ses joues rondes, ses lèvres brillantes, tout cela me troublait plus que de raison. J'étais totalement dépendant d'elle, totalement vulnérable et, ce qui aurait dû me mettre en rage, je m'en accommodais. Je ne voulais pas penser à la suite. Le futur arriverait bien assez vite, avec son cortège d'emmerdements. Le *Paradis* occupait tout de même mon esprit, et j'avais demandé à Zoé de veiller à ce que le cousin de Delphine garde ses distances. Le reste, je m'en foutais. Qu'on rembourse nos dettes à l'URSSAF, sans discuter, et qu'on dissolve l'association, voilà qui me paraissait la meilleure solution. Tant qu'à repartir sur de nouvelles bases, autant le faire de zéro.

Le second lit de ma chambre fut bientôt occupé par un vieil homme au visage lunaire. Je l'aimais bien, même s'il mettait un peu fort la télévision. Le jour de son arrivée, je lui avais présenté Zoé comme ma moitié, il m'avait répondu qu'il était heureux de savoir que je n'étais pas seul. Avais-je l'air d'un célibataire ? Cette question me tourmenta toute la journée. Je ressemblais à quoi en pyjama rayé ? Play-boy, ou cow-boy ? Fils de boucher, de couturière ? D'aide ménagère pour arranger ? Le soir même, Delphine était passée et je ne sais pas ce qui m'a pris, le besoin de crâner auprès de mon gentil voisin sans doute, je l'avais également présentée comme ma moitié. Votre seconde moitié, avait-il observé en ouvrant grands les yeux. Et puis, après un temps de silence : il ne reste plus beaucoup de place pour vous.

Pour moi ? Il parlait de moi ? Je m'étais remis à pleurer.

*

Il me fallut près d'une semaine avant de comprendre ce qui s'était passé. Le jeune homme édenté n'y était pour rien : j'avais été renversé par une moto en traversant la rue. Elle m'avait percuté de dos, alors que je m'étais précipité, selon le conducteur, sous ses roues. Avait-elle fait un écart ? Il semblerait que non. Alors pourquoi de dos, plutôt que de face ou de côté ? Il manquait une pièce au puzzle – encore aujourd'hui elle manque, et cette part d'ombre à l'endroit même où ma vie bascule est une faille difficile à combler. Contrôler ? Mais contrôler quoi ? Moi ? Le monde ? Mon petit monde ? Quelle absurdité. Je me souvenais d'avoir repoussé le jeune homme, sans doute était-il tombé, mais ensuite ? J'avais couru, avant de me retrouver flottant sur une alaise en caoutchouc avec le fantôme de Charles Bronson. Sa lèvre supérieure bien dessinée, comme de petites épaules avec le nez en guise de tête, le tout posé sur les rails de l'harmonica. Ces trois notes déchirantes... La musique était d'Ennio Morricone, je m'en rappelais maintenant. Ennio, quel drôle de prénom. Comment s'appelait l'ex-mari de Zoé ? Ne plus penser à lui, le rayer de la carte. Antoine avait bien ri quand je lui avais raconté mon rêve de capote. Delphine m'avait offert une très jolie photo encadrée de Jean-Paul pour me tenir compagnie la nuit. Lucas me rendait régulièrement visite, ainsi que Yanis qui m'apportait des romans japonais, il était persuadé que c'était ça qu'il me fallait pour guérir, mais était-il vraiment question de guérir ? Plutôt de m'habituer, même si personne autour de moi ne voulait le reconnaître. Seul mon voisin me comprenait. S'habituer, m'avait-il dit en haussant les sourcils, mais pourquoi faudrait-il s'habituer, et c'est à ce moment précis que le visage de Louise était apparu dans l'embrasure de la porte. Mon voisin se tourna vers le mur pour nous laisser en paix. Il devait brûler d'envie de faire un commentaire sur ma troisième moitié et, quand Louise fut partie, il se réjouit une nouvelle fois de me voir si bien entouré. Venant de lui, cette remarque me troublait. Comment moi, Alexis Leriche, avais-je réussi à me constituer un cercle de gens si sympathiques ? Était-ce mon physique qui les attirait ? Ma belle gueule, comme disait mon père ? Mon allure ? Et que deviendrait cette allure dans un fauteuil roulant ?

Louise passerait plusieurs fois en coup de vent, et en cachette. Je la trouvais séduisante, pas si popote que le prétendait mon père. Elle portait toujours des robes courtes par-dessus ses collants. Elle me montra des photos de ses fils, l'aîné me ressemblait en effet comme deux gouttes d'eau. J'en fus touché plus que je ne l'aurais cru.

*

Le corps médical continuait à parler de mes jambes comme de personnes à part. Quand mon état serait stabilisé, on les transférerait dans un centre de rééducation fonctionnelle pour s'occuper sérieusement de leur cas. Il n'était pas question que nous rentrions rue Ordener avant des semaines, voire des mois. On reparla également de ma vessie, de mes chers sphincters, de transit intestinal, d'infection urinaire et d'exonération fécale, je passe les détails pratiques, mais de mon sexe en tant que sexe, et non de robinet pour évacuer la pisse, toujours pas. On me conseilla de me soulever sur les bras régulièrement pour aérer mon postérieur et stimuler l'irrigation sanguine. On m'apporta des coussins de formes diverses pour éviter les esquarres, encore de la lecture, des calissons, du saucisson sec, mais personne ne me proposa une bonne fellation. Marcher, remarcher, ils n'avaient que ce mot-là à la bouche. Dès que j'avais cinq minutes tranquille (c'est fou ce qu'on peut être occupé à l'hôpital) je me masturbais. Rien ne sortait. Ces séances sans fin me donnaient mal à la tête. Je trouvai enfin le courage d'en parler au médecin un jour qu'il se trouva seul à mon chevet. Il me fit un croquis rapide, l'entoura de mots et de flèches. Prononça des termes inconnus et d'autres plus abordables, comme lésion dans la moelle épinière, destruction des neurones, paralysie médullaire, épargne sacrée et fonction résiduelle. À ce stade, on ne pouvait rien affirmer, voilà ce que je compris, juste constater que les voies nerveuses ascendantes étaient détériorées. Selon toute probabilité, j'éjaculais à l'intérieur (à l'intérieur ?). Ou alors je n'éjaculais pas. Je devais m'estimer heureux d'avoir conservé mes facultés érectiles, bien d'autres dans ma situation en étaient privés. Si je désirais avoir des enfants, on aurait toujours la possibilité d'effectuer un prélèvement, ajouta le médecin de son air rassurant de bon père de famille, et moi j'avais envie de crier que je ne voulais pas d'enfant, je voulais être un homme, était-ce si difficile à comprendre ? Je voulais jouir, et m'endormir comme une brute, pour réussir à tout oublier.

*

L'agitation d'un être n'est pas liée à la mobilité de son corps. D'aucuns diront que je suis plus calme qu'avant et, en effet, je suis capable de rester des heures sans bouger, ce n'est pas pour autant que je suis immobile. À l'intérieur, c'est la langue qui grouille, les mots et leurs tonalités, leurs teintes plus ou moins vives, plus ou moins mélangées. Quand j'apprenais à écrire à l'école, je me souviens d'une chose qui m'avait frappé : comment, en changeant simplement un trait minuscule (du P au R, par exemple), on passait d'une lettre à une autre, d'un sens à un autre, d'un son à un autre son, comme dans les rêves, sans transition. Le médecin m'avait laissé le croquis pour que je le montre à Zoé. C'était important, disait-il, que ma femme comprenne ce qui m'arrivait. Au centre de rééducation (pourquoi n'en avait-il pas parlé avant ?), il y aurait une chambre spécialement équipée pour les couples, avec tout ce qu'il fallait pour faciliter le rapprochement physique des conjoints handicapés. C'était une installation pilote, encore une fois, j'avais de la chance de pouvoir en profiter.

Handicapé, le mot me heurta de plein fouet. Je n'osai pas le prononcer devant Zoé et me gardai bien de lui montrer le croquis. Elle était là, assise comme d'habitude devant la fenêtre. Nous parlions de choses futiles, un petit ronron pour passer le temps.

– Pourquoi tu ne mets pas de vernis à ongles ? Du rouge, ce serait joli.

– Tu as vu la taille de mes ongles ?

Zoé avança une main vers moi, les doigts en éventail. Je la saisis et la regardai attentivement.

– Ils sont tout petits, mais une coccinelle, c'est petit aussi, non ? Et c'est rouge.

– Avec des points noirs.

Des points noirs, répéta-t-elle doucement. Une ombre passa sur son visage, puis s'éloigna comme elle était arrivée. Zoé sortit un journal de son sac et entreprit de lire notre horoscope de la semaine, comme au bon vieux temps. « Détendez-vous, les Taureau ! Sans arrêt sous pression, vous avez tendance à aboyer sur tout ce qui bouge. Sortez donc vous calmer un peu... »

Des taureaux qui aboient, remarqua Zoé, ce n'est pas banal, puis elle proposa d'aller nous chercher des cafés (il y a des distributeurs automatiques dans le hall principal, ajouta-t-elle, c'est pratique ; quand tu remarcheras, nous irons ensemble, il y a même une petite boutique avec la presse et des trucs pour les mômes).

Nous irions ensemble, effectivement, mais pas en marchant. Dès que je fus autorisé à sortir de la chambre, je passai mes journées à sillonner les couloirs en chaise roulante.

– Tiens, disaient les infirmières, c'est Leriche qui part en excursion !

Et Leriche devint un pro de la marche arrière et apprit à descendre et monter les plans inclinés. Il était doué, paraît-il. Bientôt, il sut faire des tours complets sur place pour amuser le personnel, on l'aimait bien, il n'était pas chiant comme certains. Il tenait ça de sa mère, pensait-il, et de son père, il avait le courage et l'obstination. Il était bien trop fier pour se plaindre. Gardait tout pour lui, cadenassé à l'intérieur. Il devint un habitué du petit magasin qui vendait des peluches, en effet, mais aussi des magazines, et cachées derrière les mots croisés, des publications à caractère pornographique, comme le jeune homme à la caisse les appelait pudiquement.

Un matin, il passa à l'attaque. Il acheta plusieurs revues et alla s'enfermer dans les toilettes du premier. La pièce était grande, presque agréable. Le seul fait de regarder certaines images provoquait un gonflement significatif de son pénis. Il testa sa fermeté et fut assez déçu. Ce n'était pas brillant, trop mou sans doute pour entrer dans la chatte de Zoé. Il s'écraserait à l'entrée, tout bouchonné, comme un chien qui presse son nez contre son ventre pour se bouffer les puces. Il faudrait se débrouiller autrement, et le voilà qui entendait la voix d'Antoine, cher Antoine qui par tous les moyens tentait de le rassurer. Il ne s'agit pas de faire comme avant, Alexis, ni de reconstruire, mais de restaurer les tissus nerveux endommagés.

D'où tenait-il cela ? L'avait-il inventé ? Restaurer, repriser, ravauder… Alexis Leriche rêvait de branlette espagnole entre de gros seins, pas de travaux d'aiguilles. Il ne savait pas où ranger les magazines, il les cacha derrière la cuvette des w.-c. en espérant les retrouver plus tard. Et, miracle, ils seraient là, juste un peu dérangés. Il aimait l'idée que d'autres patients s'en soient servis. Quand il revint dans la chambre, son voisin avait été remplacé par un autre qui parlait beaucoup. Il le laissait dévider sa pelote, il lui arrivait même de lui répondre. Il était devenu très tolérant, ne se reconnaissait pas, comme si la colère qui l'habitait depuis l'enfance était tombée en même temps que l'usage de ses jambes.

*

De toute cette période, je n'ai pas grand-chose à raconter, ou peut-être n'ai-je pas envie de m'étendre sur les heures sombres, car il y en avait, bien sûr, et plus que des heures faciles. Je ne veux retenir que les événements positifs. Par exemple, que Delphine m'avait offert une paire de mitaines ultrasouples qui me faisaient irrésistiblement penser à Klara. Elles étaient rembourrées côté paume pour augmenter l'adhérence et limiter les échauffements dus à l'utilisation du fauteuil. Mieux encore, dans la liste des améliorations notables : j'avais trouvé la parade idéale contre mes problèmes auditifs. Quand les sifflements revenaient, il suffisait que je joue de l'harmonica pour qu'ils s'atténuent. Ils ne disparaissaient pas, mais devenaient supportables, comme on supporte le bruit d'un réfrigérateur dans une cuisine. On sait que c'est normal. On n'y prête plus attention. Quand je ne pouvais pas jouer de l'harmonica, ce qui n'était pas rare à l'hôpital, je mettais l'instrument devant ma bouche sans souffler, et me concentrais jusqu'à entendre les notes, comme dans ce livre que mon père m'avait offert la première fois que nous nous étions revus. Le seul fait de les imaginer adoucissait les sifflements. La seconde note de la petite musique d'Ennio Morricone était particulièrement efficace – j'en parlai à l'un des infirmiers qui jouait lui aussi de l'harmonica. Il me dit qu'il s'agissait d'un *do* dièse, il me dit que j'avais l'oreille absolue, s'étonna que je ne sois pas musicien.

– Dans une prochaine vie, peut-être ?

– Peut-être, peut-être...

Nous savions bien qu'il n'y aurait pas de prochaine vie. Ou, s'il y en avait une, elle commençait ici, dans cet hôpital. Ce que j'allais en faire ? Je crois me souvenir que je ne posais déjà plus la question en ces termes. Je me demandais plutôt ce que la vie allait faire de moi, et je trouvais cette réflexion débile. Pourtant, c'était ainsi, et ce n'était pas forcément triste. Quelque chose avait lâché. Quelque chose était devenu apparent. Je m'étais toujours senti différent et là, enfin, j'étais différent. J'étais un handicapé – non, pas un handicapé : handicapé tout court, ça me suffisait. Chacun pouvait le constater du premier coup d'œil, je n'avais plus besoin de le prouver, voilà ce que j'avais gagné en perdant l'usage du bas de mon corps.

*

Enfin, je fus transféré au centre de rééducation. Je troquai mon voisin de chambre et ses bavardages contre un garçon de bonne famille tatoué des pieds à la tête qui faisait son petit effet auprès des vieilles dames penchées sur leur déambulateur. Il avait eu un accident de voiture et se déplaçait comme moi en fauteuil. Sa mère venait souvent lui rendre visite, il l'envoyait bouler, elle revenait quand même. Je la trouvais admirable. Elle se débrouillait toujours pour laisser de l'argent en cachette sous son oreiller, comme la petite souris quand on perd ses dents.

En fin de journée, après le dîner (nous mangions très tôt, comme à l'hôpital), mon voisin de chambre sortait près du local à poubelles pour fumer son joint. Il était partageur, je pris l'habitude de l'accompagner, et trouvai dans l'utilisation modérée de l'herbe un exutoire bienvenu. Je lui demandai de m'en procurer, pour essayer avec Zoé. Il y avait effectivement au cinquième étage de l'établissement une pièce avec un lit double spécialement équipé pour les personnes à mobilité réduite. L'appareillage était simple, mais bien conçu. Il permettait de passer facilement de la chaise au lit, puis de se retourner ou de se mettre sur le côté grâce à un système de barres et de poignées sécurisées. Un poster aux teintes pastel était censé nous faire oublier le côté barbare du dispositif. Un homme, probablement paralysé, enlaçait une jolie brune, le dos calé par des coussins.

Au début, tout m'irritait, la tête du gendre idéal, sur l'affiche, le côté bien élevé de sa partenaire, ses flotteurs retouchés, et je dois avouer que les premières séances dans la chambre rose, comme nous l'appelions entre nous, furent des fiascos terribles qui me laissèrent abattu, et Zoé, pauvre chérie, désolée de ne pas savoir mieux s'y prendre. Mais, à force de tendresse, cette petite fille têtue réussit à me prouver qu'il y avait d'autres façons de faire l'amour que, précisément, de faire l'amour. Je me détendis. J'appris à m'occuper d'elle. C'était un peu long, mais excitant finalement. Ou au moins gratifiant. Le reste du temps, je mangeais les gâteries que m'apportait Delphine, pour compenser. Elle était toujours d'une humeur égale. Je me laissais cajoler, ce n'était pas désagréable. Le centre se situait assez loin de la station de métro, j'eus moins de visites qu'à l'hôpital mais toujours un emploi du temps de ministre, entre les séances de balnéothérapie, les rendez-vous kiné, le petit pétard de sept heures et autres activités censées me rapprocher de l'idée que je pourrais un jour me retrouver entier.

À propos de ministre, Delphine avait repris son travail. Depuis mon accident, elle allait beaucoup mieux, ne pleurait plus, dormait bien. Elle-même en convenait – c'est étrange, disait-elle, comme si tu avais avalé ma douleur. Zoé aussi se portait bien malgré la chute du *Paradis*. Elle avait réussi à revendre le matériel à bon prix, ainsi que le catalogue des voix. Nous avions récupéré de l'argent, pas mal d'argent même, ça nous laissait le temps de voir venir, comme disait mon père. Lucas et Yanis étaient au chômage, mais ils savaient que, dans leur domaine, ils ne resteraient pas longtemps sans travailler. Effectivement, ils retrouveraient très vite un nouveau projet à lancer sur la Toile. Et ce projet, c'est moi qui en aurais l'initiative, car la chambre d'intimité, comment dire, la petite chambre rose me donnerait des idées. La petite chambre rose, ou plus exactement la pièce attenante, pompeusement dénommée bibliothèque. De là, on pouvait entendre tout ce qui se passait sur le lit aménagé, pour peu qu'on eût l'oreille fine, et ces sons étaient plus excitants que n'importe quelle photo. Ils me rappelaient une séance de jambes en l'air dans la maison familiale, mon frère avait ramené une fille, et en quelques minutes, pendant que maman était allée poster une lettre, il l'avait tringlée dans la salle de bains. J'étais au premier étage, mon frère le savait pertinemment, je m'étais demandé s'il n'avait pas fait ça exprès pour me montrer combien il était supérieur à moi en ce domaine.

Regarde, semblait-il dire à chaque coup de bou-
toir, comme je suis fort, comme je suis puissant,
comme je sais la faire jouir et, en effet, la fille
lâchait des cris de goret qu'on égorge, puis ne
lâcha plus rien quand mon frère eut proféré
son râle de mâle accompli. Cette démonstration me plongea dans une colère noire, que
j'expulsai en me branlant copieusement. J'en
voulais à mon frère, j'étais horriblement gêné
d'avoir été le témoin obligé de ses exploits, et
pourtant, au seul souvenir de cette histoire, je
bandais, comme je bandais en écoutant les sons
de la chambre rose.

*

Existe-t-il un mot pour qualifier cette sensibilité particulière ? Peut-on parler d'un « écou-
teur » comme on parlerait d'un « voyeur » ? À
force de stationner dans la bibliothèque, il
m'apparut évident, j'y reviens, qu'il manquait
sur le marché un type de magazines érotiques :
des magazines non pas à voir, mais à écouter.
J'en parlai à Antoine. Son visage s'illumina. Pour
se rincer l'oreille, suggéra-t-il, comme d'autres se
rincent l'œil, et je sentis qu'il mordait à l'hame-
çon.

Le cycle recommença : papotages, listes et
autres plans sur la comète (ce qu'on ferait de
l'argent si nous devenions riches, mer, montagne, campagne, etc.). Zoé adhéra au projet avec
enthousiasme, Delphine s'y engouffra à la suite.

Je suis persuadé aujourd'hui qu'elles le firent sincèrement, et non par gentillesse. Et même si c'était par gentillesse, qu'importe en vérité ? La première réunion eut lieu à quatre, dans la chambre rose – nous n'avions pas autant ri depuis longtemps. Il fallait en premier lieu trouver un nom pour le magazine. *Cris et gémissements* resta longtemps favori, avant d'être détrôné par *Nirvana*, chassé à son tour par *Septième ciel* qui prendrait à l'unanimité la suite du *Paradis des voix*. Jouir par l'oreille, tel serait notre nouveau credo. Nous n'avions pas forcément envie d'attirer les solitaires, nous voulions toucher les couples aussi, ceux qui avaient besoin de carburant pour réveiller leur vie conjugale. Là où un film porno pouvait heurter leur sensibilité, selon l'expression de Baby Zoé, un enregistrement bien conçu offrait toute sa puissance de suggestion. Côté promotion, Yanis et Lucas, alias Janine et Lucie, se chargeraient d'inonder les forums spécialisés de fausses confidences annonçant la création imminente du *Septième ciel*, puis, quand le site serait en ligne, d'en assurer la diffusion.

Toutes ces conversations et les longues stations dans la bibliothèque eurent l'avantage de stimuler la reprise des rapports avec Zoé. Si les progrès étaient plus que lents pour la station debout, ils étaient significatifs côté érotique. À défaut de jouir de façon classique, j'avais découvert peu à peu toute une palette de sensations que je ne connaissais pas avant l'accident. Mes bouts de sein, par exemple (j'ai presque honte, c'est drôle, d'en parler) étaient devenus très sensibles. J'attendais chaque jour avec fébrilité le moment où Zoé les prendrait dans sa bouche. Mon cou aussi était chargé de plaisir, et les paumes de mes mains, mes poignets, même l'intérieur de mes oreilles me procuraient des frissons inédits, comme si j'avais avalé la jouissance et qu'elle ressortait par tous les pores de ma peau. Mon corps entier était investi de pouvoirs immenses – enfin entier, non, malheureusement. Le haut seulement. En bas, à part quelques contractions de l'anus et ces érections mollassonnes qui ne duraient jamais assez longtemps, rien ne bougeait vraiment. En théorie, certains médicaments auraient été en mesure d'améliorer mes performances, mais ils m'étaient contre-indiqués. Restaient deux solutions, d'après les recherches d'Antoine : l'injection de prostaglandines dans le corps caverneux, à la base de la verge, avant les préliminaires, pour une érection qui durait tout de même deux ou trois heures, ou l'option mécanique.

L'option mécanique ?

La queue était placée dans un cylindre à vide pendant quelques minutes et de l'air pompé hors de la gaine principale provoquait un afflux de sang dans les tissus érectiles, comme un énorme suçon. Un anneau placé à la base du pénis permettait de maintenir le tout et (cerise sur le gâteau) de limiter les risques de fuite urinaire. Très sexy. Ce serait mon cadeau en arrivant à la maison, me dit Antoine en m'adressant un clin d'œil. Les filles étaient au courant.

Les filles… Et pourquoi pas tout l'immeuble, pendant que nous y étions ?

Les solutions d'Antoine manquaient de poésie. D'ailleurs, ce n'étaient pas des solutions, juste du bricolage, Antoine en convint. Mais mieux que rien, tout de même. Qu'est-ce que tu en dis, Alex ? À essayer, non, faute de mieux ?

Mieux que rien, faute de mieux, comme autant d'aveux d'impuissance. Pourtant, quand je voyais les filles arriver dans la chambre, je reprenais espoir. Il y avait peut-être d'autres remèdes que ces interventions barbares pour retrouver ma vitalité. Je repensais souvent aux baisers de Delphine, sa façon si particulière de titiller l'intérieur de la bouche, et je lui aurais bien demandé quelques séances pour compléter ma rééducation avant de passer à des pratiques moins subtiles. Je n'osai en parler à Zoé, mais un soir dans la chambre rose elle se mit à m'embrasser exactement comme Delphine, avec la même attention pour ce point du palais, la même insistance, et je compris que notre vie à tous les trois était sur le point de basculer.

*

Il fallut bien quitter mon voisin de chambre et ses tatouages colorés. Je pris congé un mardi, il me promit de venir nous rendre visite dans le XVIIe dès sa sortie du centre.

Dans le XVIIe ? Le bon XVIIe ?

Oui, car nous allions habiter chez Delphine, tous les trois. Pour des raisons pratiques, roucoulaient les filles en me faisant les yeux doux, car comment accéder au cinquième étage sans ascenseur de la rue Ordener avec la chaise roulante ? Avenue Niel, on pouvait entrer par le jardin, la porte s'ouvrait à double battant, voilà qui arrangeait les choses. Je ferais ma kiné dans un cabinet voisin, les rendez-vous étaient pris, le programme de mes journées soigneusement élaboré. Pour les enregistrements du *Septième ciel*, si *Septième ciel* il y avait (tout restait à faire, nous n'avions pas beaucoup avancé), Antoine cherchait un local bien insonorisé, accessible en fauteuil, ce n'était pas gagné. Zoé serait salariée – pour moi, nous attendrions la fin du congé maladie.

Je ne peux pas dire que cette nouvelle me réjouit, mais je fus bien obligé de l'accepter sans broncher, comme beaucoup d'autres choses depuis l'accident. Il n'y avait pas que la jouissance que je ravalais, il faut bien l'avouer, chaque jour j'entendais, je sentais, je subissais de nouvelles humiliations. Au lieu de protester ou de me mordre l'intérieur des joues jusqu'au sang, je sortais mon harmonica, et je jouais. Ou je fumais un pétard. L'un dans l'autre, je parvenais non seulement à garder mon calme, mais à rire de ce qui n'était pas drôle.

La nuit souvent, je me réveillais en sursaut. J'avais des cauchemars, et des douleurs aussi, des fourmillements insupportables. Alors, je prenais un comprimé miracle que le médecin m'avait prescrit en cas d'insomnie et tombais dans un de ces sommeils lourds que je connaissais bien avant l'accident. Il paraît que je ne ronflais plus. Toujours ça de gagné.

Un mardi, donc, je quittai le centre. Mon voisin de chambre descendit partager avec moi un dernier joint de l'amitié avant que je n'affronte la vie dite normale, celle de la rue et des piétons pressés – tu vas voir, dit le voisin, elle est excellente.

Il parlait de l'herbe, pas de la vie normale, et en effet elle l'était. Quand Delphine et Zoé apparurent à l'accueil, je crus que j'étais en proie à une hallucination. Elles s'étaient habillées exactement pareil pour venir me chercher, même pantalon taille basse, même débardeur bleu clair dégageant le nombril, une ceinture avec des grigris qui pendouillaient sur le côté, aux pieds des espadrilles à talons compensés et, en transparence, même soutien-gorge pigeonnant (surtout pour Delphine évidemment car chez Zoé il n'y avait pas grand-chose à pigeonner). Elles étaient gaies et jolies, pleines de cet enthousiasme des premiers jours, je n'arrivais pas à les regarder sans les imaginer en train de se bécoter. Antoine débarqua quelques minutes plus tard, le cheveu en bataille, il avait couru, ne pouvait pas rester, devait retourner travailler, mais tenait à nous photographier tous les trois en ce moment historique. La photo est toujours affichée dans le salon. Zoé à droite, comme si elle venait de vider la potion magique qui fait rétrécir, et de l'autre côté Delphine, qui aurait avalé celle qui fait grandir. Elles étaient prêtes à partir, chacune une main sur une poignée du fauteuil, le sourire aux lèvres, et moi au centre avec mes mitaines ultralégères, j'avais l'air de planer à mille lieues.

*

Le temps était splendide, nous avions décidé de rentrer chez Delphine à pied (enfin, à pied, façon de parler). Je lisais dans le regard des passants, je n'irai pas jusqu'à dire de l'envie, mais au moins de la tendresse pour notre trio. Ces deux femmes si différentes, habillées de la même façon, aux petits soins pour cet homme en fauteuil roulant, voilà qui réveillait de drôles de pensées. Je découvris les bonheurs de la conduite en ville, ses trottoirs haut perchés, ses travaux, ses pavés. Là encore, tout aurait dû m'exaspérer, mais j'avais mon harmonica, et dans ma poche un sachet d'herbe et les comprimés en dernier recours. J'étais armé. Mais armé pour protéger quoi ? Mes jambes, mes pauvres jambes... Elles étaient là, posées devant moi, remplies de chiffons. Je flottais dans mon pantalon, même mes chaussures semblaient trop grandes. Il ne fallait pas que je les regarde, ça me donnait envie de pleurer. J'enlevai ma veste blanche et la posai sur mes genoux pour les faire disparaître.

Delphine parlait des travaux qu'elle avait entrepris chez elle afin de m'accueillir confortablement quand un bruit de chute attira son attention. Elle regarda autour d'elle, puis autour du fauteuil, sans rien voir de particulier. Nous allions repartir, et c'est Zoé qui remarqua que mon pied droit était en chaussette. J'avais perdu ma chaussure. Elle avait roulé dans le caniveau quelques mètres plus haut. Delphine se pencha pour la récupérer, l'égoutta un peu puis, s'agenouillant près de moi, entreprit de me rechausser. Zoé vint la rejoindre et tira sur le bas de mon pantalon qui avait tendance à remonter. Ni l'une ni l'autre ne s'autorisèrent aucun commentaire sur le fait que la chaussure était mouillée. Elles durent se dire que, de toutes les façons, je ne sentais rien, ni le froid ni l'humide. Elles étaient toutes les deux à mes pieds, mes petites Cosettes, pleines de sollicitude. Quelques mètres encore, c'est l'autre chaussure qui tombait par terre. L'opération se répéta trois fois à quelques minutes d'intervalle, droite, gauche, droite, les filles à genoux, les lacets trempés, le double nœud récalcitrant, et moi comme un sale gosse qui, encore et encore, balance son hochet par terre jusqu'à ce que sa mère se mette à crier. Mais ni Delphine ni Zoé n'était ma mère, et personne ne cria. Il y avait de l'affection dans l'accomplissement de cet acte répétitif, une envie de me combler et de prouver que, quoi qu'il arrive, elles seraient là pour moi.

La conversation repartit sur le *Septième ciel*, les scénarios sonores s'enchaînaient, tous plus savoureux les uns que les autres. Des grandes eaux de Versailles aux partouzes en sous-sol, chacun y allait de son détail croustillant. Puis, sans prévenir, le silence s'installa entre nous. Un silence doux et mélancolique. Les affiches se succédaient sur les panneaux, il y avait de nouveaux films, de nouvelles publicités, comme cette femme en habit de sirène qui posait pour un parfum de luxe. Sa peau était recouverte d'une poudre dorée, elle avait l'air d'une fée. Elle non plus ne pouvait pas marcher, entravée qu'elle était par sa robe fourreau. Nous étions pareils. Je sentis quelque chose remuer dans mon bas-ventre, il y avait du mieux, décidément, il ne fallait pas perdre espoir. Delphine était maintenant à côté du fauteuil, il suffisait que je tourne la tête pour voir ses seins rebondir au rythme de ses pas, ponctués par les cliquettements de sa ceinture, comme un petit carillon de l'Armée du Salut annonçant l'arrivée des fêtes. Sa chevelure avait repris du volume depuis sa dernière coupe. Maman avait toujours rêvé d'avoir les cheveux bouclés comme ceux de Delphine, naturellement bouclés, et sa perruque, naturellement, l'était. Elle la lavait dans le lavabo et la laissait sécher à l'air libre. Je me souviens de ça, de ce détail-là, très important pour elle.

À l'air libre.

Delphine s'arrêta un instant pour remonter

sa ceinture. Elle dut se pincer la peau car, sans explication, elle laissa échapper un petit cri. Mon ventre se serra encore. Il fallait que je la saute, ce n'était pas possible autrement. Zoé serait au courant. Et même, avec un peu de chance, participerait à l'opération. Une piqûre à la base du pénis, au fond, ce n'était pas la mer à boire, accepterait-elle de me la faire ? Je ne me sentais pas capable, au moins pour la première fois, de me piquer moi-même. L'érection durait longtemps, une belle triquaille bien raide, tu as vu ça ma chérie ? Baby Zoé grimperait sur mes genoux pour tester l'effet des prostaglandines, et hop ! Roulez jeunesse ! Je l'imaginais à califourchon, légère, si légère, elle pose ses pieds sur les roues, c'est pratique, j'accompagne son mouvement de va-et-vient, mes deux mains solidement campées autour de sa taille, j'embrasse ses seins, j'embrasse son cou, un bruit de clé, la porte s'ouvre...

– Oh, excusez-moi, je suis rentrée un peu plus tôt que prévu...

C'est Delphine qui débarque dans la chambre, mais ne t'excuse pas, ma belle (je l'appelle « ma belle », c'est nouveau), tu es chez toi.

Un léger sourire, Delphine laisse glisser son imper et s'installe en face de moi, ou non, juste un peu de côté, pour que Zoé ne perde rien du spectacle. Elle introduit ses mains à la naissance de ses cuisses et les écarte doucement. Sa lenteur est exaspérante. Elle ne porte pas de culotte, ou juste un string qu'elle écarte à son tour d'un doigt de tricoteuse. Je découvre son sexe, complètement épilé. La peau est très lisse, comme si elle n'avait jamais eu de poils, l'aurait-elle maquillée elle aussi ? Un voile de poudre dorée… C'est étrange, peut-être la nouvelle mode, comme les talons compensés des espadrilles. Une petite bille blanche brille en haut des grandes lèvres. Ce n'est pas sa pilule, non, c'est un piercing qu'elle vient de faire poser, dit-elle, façon jeune fille à la perle. Zoé sourit d'un air complice. Elle est toujours à califourchon sur son cheval de bois, montant et descendant le long de la barre. Le manège accélère, Zoé grimace, ça lui fait mal quand ça va jusqu'au fond. Mal, quand ça tape sur le col, mais c'est troublant aussi, et même bouleversant à en croire les sons qui sortent de sa gorge. Delphine nous regarde, elle nous écoute, nous encourage, la nuit tombe et sa chatte se met à luire dans la pénombre, une pellicule nacrée tapisse l'ouverture du trou, une moiteur phosphorescente comme si la perle avait fondu. Cette idée qu'elle mouille en nous regardant baiser m'excite plus que tout, mais ce n'est pas cela qui tient ma verge bandée et j'en éprouve de la peine. Je suis pris de vertiges. Zoé m'embrasse tendrement.

– Ne bouge pas, dit-elle, je reviens…

Elle descend de la chaise et, sans me quitter des yeux, s'agenouille devant son amie. Elle plaque sa bouche entre les jambes de Delphine et la suce à grands coups de langue, oui, comme ça, de but en blanc, elle lui broute la chatte. Au premier plan se dresse ma queue brûlante, détachée de toute contrainte biologique. Iné-branlable, c'est le mot. Elle a la couleur crème des statues du musée Grévin. Une goutte de cire coule le long du cierge, puis une autre goutte, je n'en éprouve aucun plaisir particu-lier, je constate simplement ce qui m'arrive. Quelque chose se manifeste, du dedans, vers le dehors. Quelque chose sort. Et si je faisais un bébé à Delphine ? Un petit homme ? Son ven-tre qui grossit, le jardin en toile de fond, sa poi-trine est énorme. La glycine a fleuri, ne restent que les feuilles. Un père et deux mamans… Mais comment être sûr que ce sera un garçon ? Il y a des régimes, paraît-il, des méthodes pour favoriser l'implantation des mâles, est-ce bien sérieux ?

Les filles s'emmêlent, la petite et la grande, une personne en deux corps et l'esprit partagé. Moi aussi, je suis partagé. En bas, ça flotte, c'est lointain, un souvenir de jambes plus que des jambes et ma queue pétrifiée par le regard de Méduse. En haut, tout est plus sensible que jamais, soigneusement dessiné, les impressions, les formes, les pensées, les réactions. Ma main descend lentement, elle fait le lien entre les deux mondes. Il y a quelque chose dans la poche de ma veste. Pourquoi me branlerais-je ? Ça ne servirait à rien, qu'à me donner mal à la tête. Il faut juste attendre que le cierge se con-sume, voilà, un tas de cire tiède. En attendant, je porte à mes lèvres l'harmonica. Ma main droite est posée sur l'instrument comme pour un bras de fer, mais la force est ailleurs, elle ne sert plus à rien. Ma langue bouche les trous. Les anches métalliques vibrent au passage de l'air. Le train s'en va, revient, je souffle ou j'aspire, je ne sais plus très bien. Les trois notes s'élèvent qui disent la vengeance, et les voix se délient. Delphine creuse les reins, caresse Zoé à son tour. On dirait qu'elles aiment ça, mes petites princesses, que je leur fasse l'amour en jouant de la musique. Elles chantent comme chantent les chiens, et moi je suis leur maître. Que gagnerais-je à redevenir comme avant ?

Maman de là-haut nous observe. J'entends sa voix. Son timbre unique, inimitable.

– On ne marche pas pieds nus, Alex ! Combien de fois faudra-t-il te le répéter ? Ce n'est pas pour t'embêter...

Non, maman, je le sais bien, ce n'était pas pour m'embêter. Dans la maison, il fallait toujours mettre des pantoufles à cause des aiguilles qu'on aurait pu s'enfoncer dans le pied. Elles risquaient de remonter jusqu'au cœur. Eh bien tu vois, maman, j'ai suivi ton conseil. Je ne marcherai plus jamais pieds nus. Je ne marcherai plus tout court, même, c'est décidé. Et je mangerai de l'ail tous les jours. Tu es contente ? Tu l'aimes, ton fils aîné ? Ton Alexis ?

Nous sommes arrivés devant la porte de chez Delphine, celle qui s'ouvre à double battant. Le chat saute sur mes genoux, il a trouvé sa place.

Les filles sont fatiguées d'avoir tant marché. Zoé se plaint de douleurs aux chevilles, elle n'a pas l'habitude des talons, dit-elle, puis elle s'excuse, comme s'il était inconvenant de parler de ses jambes en ma présence. Elle se penche pour m'embrasser. J'attire Delphine, qui m'embrasse à son tour. Leurs bouches ont le même goût d'anis. Ce soir, nous dormirons bien.

Je suis le roi assis, l'homme à l'harmonica. Parfois je suis léger et soudain je m'envole, gonflé de cet amour qui s'épanouit autour de moi. Je tire les ficelles, ce n'est pas nouveau, j'ai toujours été très égoïste, mais aujourd'hui, ça se voit moins.

DU MÊME AUTEUR

Aux Éditions Gallimard

SIRÈNE, 1985 (« Folio » n° 3415).

LA GIRAFE, 1987 (« Folio » n° 2065).

ANATOMIE D'UN CHŒUR, 1990 (« Folio » n° 2402).

L'HYPNOTISME À LA PORTÉE DE TOUS, 1992 (« Folio » n° 2640).

LA CARESSE, 1994 (« Folio » n° 2668).

CELUI QUI COURT DERRIÈRE L'OISEAU, 1996 (« Folio » n° 3173).

DOMINO, 1998 (« Folio » n° 3551).

LA NOUVELLE PORNOGRAPHIE, 2000 (« Folio » n° 3669).

LA REINE DU SILENCE, 2004 (« Folio » n° 4315).

VOUS DANSEZ ?, 2005 (« Folio » n° 4568).

LES INSÉPARABLES, 2008 (« Folio » n° 5042).

PHOTO-PHOTO, 2010 (« Folio » n° 5407).

JE SUIS UN HOMME, 2013 (« Folio » n° 5732).

Aux Éditions du Mercure de France

UN ENFANT DISPARAÎT, 2005 (« Le Petit Mercure »).

Aux Éditions Actes Sud Papiers

LA CONFUSION, 2011.

ADOPTEZ UN ÉCRIVAIN, 2012.

LA COURSE AUX CHANSONS, 2012, illustrations Christophe Merlin (« collection Heyoka Jeunesse »).

NOËL REVIENT TOUS LES ANS.

Aux Éditions Hazan

DES ENFANTS, 1997, photographies de Sabine Weiss.